Ready® Classroom
Matemáticas

Grado 3 • Volumen 2

Curriculum Associates

NOT FOR RESALE

BTS20

Contenido

UNIDAD 2

Multiplicación y división
Conceptos, relaciones y patrones

UNIDAD 3

Multiplicación
Hallar el área, resolver problemas verbales y usar gráficas a escala

····UNIDAD····

4

$\frac{1}{8}$ de milla

Fracciones
Equivalencia y comparación, medición y datos

···UNIDAD···
5

Medición
Tiempo, volumen líquido y masa

Figuras
Atributos y categorías, perímetro y área y división

☑ COMPRUEBA TU PROGRESO

Antes de comenzar esta unidad, marca las destrezas que ya conoces. Al terminar cada lección, comprueba si puedes marcar otras.

Puedo ...	Antes	Después
Usar una fracción para mostrar partes iguales de un entero, por ejemplo: cuando un entero tiene 4 partes iguales, cada parte es $\frac{1}{4}$ del entero.	☐	☐
Usar una recta numérica para mostrar fracciones, y hallar una fracción en una recta numérica.	☐	☐
Comprender que las fracciones equivalentes muestran la misma cantidad y nombran el mismo punto en un recta numérica.	☐	☐
Hallar fracciones equivalentes, por ejemplo: fracciones equivalentes a $\frac{1}{2}$ incluidas $\frac{2}{4}, \frac{3}{6}$ y $\frac{4}{8}$.	☐	☐
Escribir números enteros como fracciones, por ejemplo: $5 = \frac{5}{1}$ o $\frac{10}{2}$.	☐	☐
Comparar fracciones que tienen el mismo numerador o el mismo denominador, incluido el uso de $<, >$ y $=$, por ejemplo: $\frac{1}{3} > \frac{1}{8}$ y $\frac{4}{6} < \frac{5}{6}$.	☐	☐
Medir la longitud al $\frac{1}{2}$ o $\frac{1}{4}$ de pulgada más cercano y mostrar datos en un diagrama de puntos.	☐	☐

Amplía tu vocabulario

Vocabulario matemático

Rotula cada ilustración con una palabra de repaso de fracciones. Luego compara y comenta tus respuestas con tu compañero.

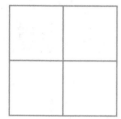 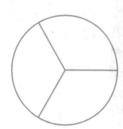 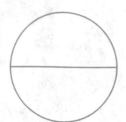 

....

Trabaja con tu maestro para completar los siguientes marcos de oración usando las palabras de repaso de comparación.

88 es .... 81.

56 es .... 61.

Vocabulario académico

Pon una marca junto a las palabras académicas que ya conoces. Luego usa las palabras para completar las oraciones.

☐ decidir   ☐ rotular   ☐ señalar   ☐ sin embargo

1 Me gustaría .... que la figura está dividida en tres partes iguales.

2 Creyó que la figura estaba dividida en cuartos, ..., cuando la miró nuevamente, se dio cuenta de que estaba dividida en tercios.

3 Voy a .... la ilustración de un cubo escribiendo la palabra *cubo* debajo de él.

4 Cuando se resuelven problemas, se puede .... qué estrategias usar como ayuda para resolverlos.

Comprende Qué es una fracción

Estimada familia:

Esta semana su niño está explorando qué es una fracción.

Las **fracciones** son números que describen partes iguales de un entero. El número de abajo en una fracción es el **denominador**. Indica cuántas partes iguales hay en el entero. El número de arriba en una fracción es el **numerador**. Indica cuántas partes se describen.

$\frac{1}{2}$ de este rectángulo o la mitad, está sombreado.

$$\frac{1 \text{ parte sombreada}}{2 \text{ partes iguales en el entero}}$$

$\frac{1}{2}$ es una **fracción unitaria** porque nombra solo una parte igual de un entero.

$\frac{1}{3}$, o un tercio, es otro ejemplo de una fracción unitaria.

Dos $\frac{1}{3}$ del siguiente rectángulo están sombreados. Por lo tanto, escribimos que $\frac{2}{3}$, o dos tercios, están sombreados.

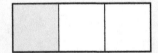

Invite a su niño a compartir lo que sabe sobre qué es una fracción haciendo juntos la siguiente actividad.

ACTIVIDAD · DECIR Y ESCRIBIR FRACCIONES

Haga la siguiente actividad con su niño para ayudarlo a comprender qué es una fracción.

Materiales lápiz y papel, variedad de objetos para dividir, tijeras o cuchillo

Ayude a su niño a familiarizarse con la escritura de fracciones haciendo juntos esta actividad.

- Busque en su casa al menos tres objetos "enteros" que se puedan dividir en partes iguales. Algunos ejemplos son un sándwich, una manzana o una hoja de papel.

- Trabajen juntos para mostrar partes iguales. Por ejemplo, corte un sándwich en 4 partes que tengan el mismo tamaño o divida el papel en 8 partes iguales.

- Luego túrnense para decir y escribir una fracción y luego mostrar esa fracción del objeto. Por ejemplo, si uno dice "un cuarto" y escribe "$\frac{1}{4}$," el otro señala 1 parte del sándwich. Si uno dice "tres octavos" y escribe "$\frac{3}{8}$," el otro señala 3 partes de la hoja de papel.

- Use fracciones con denominadores de 2, 3, 4, 6 y 8.

Explora Qué es una fracción

¿Cómo puedes describir las partes iguales?

HAZ UN MODELO

Completa los problemas de abajo.

1 Las **fracciones** son números que indican las partes iguales de un entero.

   a. Encierra en un círculo todas las figuras que muestran un tercio sombreado.

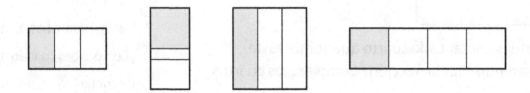

   b. ¿Cómo sabes que encerraste en un círculo las figuras correctas en la Parte a?

2 Hay dos números en una fracción. El número de abajo, el **denominador**, indica cuántas partes iguales hay en el entero. El número de arriba, el **numerador**, indica cuántas partes iguales se describen. Escribe la fracción para la parte sombreada de las figuras que encerraste en un círculo en el problema 1.

partes sombreadas ⟶ ☐
―――――――――――――
partes en el entero ⟶ ☐

CONVERSA CON UN COMPAÑERO

• ¿Usaron tu compañero y tú las mismas palabras para nombrar las fracciones en el problema 3?

• Creo que se pueden usar palabras o un número para nombrar una fracción porque . . .

3 Se escribe o se nombra la fracción $\frac{1}{3}$ en palabras como "un tercio".

   a. ¿Cómo escribirías la fracción $\frac{1}{4}$ en palabras?

   b. ¿Cómo escribirías la fracción $\frac{1}{2}$ en palabras?

HAZ UN MODELO

Completa los problemas de abajo.

4 Una **fracción unitaria** tiene un 1 en el numerador. Nombra 1 parte de un entero. Sombrea $\frac{1}{4}$ en el siguiente modelo.

5 Mira el mismo modelo de nuevo.

a. Sombrea tres cuartos del modelo.

b. ¿Cómo podrías contar cada cuarto que sombreaste para también nombrar la fracción? Completa los cuartos que faltan.

1 cuarto, ... cuartos, ... cuartos

c. Escribe la fracción para las partes que sombreaste en la Parte a.

partes sombreadas ⟶ ☐
————————————
partes en el entero ⟶ ☐

d. ¿Cómo nombrarías la fracción de la Parte c en palabras?

CONVERSA CON UN COMPAÑERO

- Cuenta salteado de $\frac{1}{4}$ en $\frac{1}{4}$ hacia delante hasta un entero. ¿Cómo sabes cuándo dejar de contar?
- Creo que contar salteado de $\frac{1}{4}$ en $\frac{1}{4}$ se parece a contar números enteros porque . . .
- Creo que contar salteado de $\frac{1}{4}$ en $\frac{1}{4}$ se diferente de contar números enteros porque . . .

6 REFLEXIONA

Explica por qué el denominador no cambia cuando se cuenta salteado por la fracción unitaria $\frac{1}{4}$ para llegar a $\frac{3}{4}$.

Prepárate para explorar qué es una fracción

1 Piensa en lo que sabes acerca de las fracciones. Llena cada recuadro. Usa palabras, números y dibujos. Muestra tantas ideas como puedas.

Palabra	En mis propias palabras	Ejemplo
fracción		
numerador		
denominador		

2 Sombrea dos tercios del modelo. Escribe la fracción para las partes que sombreaste.

partes sombreadas ⟶ ☐

partes en el entero ⟶ ☐

Resuelve.

3 Encierra en un círculo todas las figuras que muestran un cuarto sombreado.
¿Cómo sabes que encerraste en un círculo las figuras correctas?

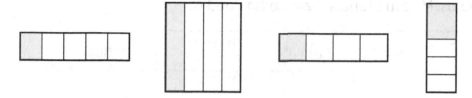

Solución ....

....

....

4 Escribe la fracción para la parte sombreada de las figuras que encerraste en un
círculo en el problema 3.

partes sombreadas $\longrightarrow$ ☐
$\overline{}$
partes en el entero $\longrightarrow$ ☐

5 ¿Cómo escribirías la fracción $\frac{2}{4}$ en palabras?

Solución ....

Desarrolla Describir las partes de un entero con fracciones

HAZ UN MODELO: ESCRIBE FRACCIONES A PARTIR DE MODELOS

Prueba estos problemas.

 a. ¿Qué fracción unitaria se muestra?

b. Sombrea 2 partes del modelo. ¿Qué fracción del cuadrado sombreaste?

2 a. ¿Qué fracción unitaria se muestra?

b. Sombrea 6 partes del modelo. ¿Qué fracción del círculo sombreaste?

3 Escribe la fracción de la figura que está sombreada. Las partes son iguales en todos los modelos.

a.

b.

CONVERSA CON UN COMPAÑERO

- ¿Cómo supiste qué fracciones escribir en el problema 3?

- Creo que sombrear partes iguales de una figura muestra una fracción porque . . .

HAZ UN MODELO: HAZ MODELOS DE FRACCIONES

Dibuja la figura que se describe.

4 El siguiente modelo muestra $\frac{1}{3}$ de un cuadrado. Haz un dibujo para mostrar el cuadrado entero. Luego sombrea para mostrar $\frac{2}{3}$.

CONVERSA CON UN COMPAÑERO

• ¿Dibujaron tu compañero y tú las mismas figuras para los problemas 4 y 5? ¿Hay más de una respuesta correcta para cada problema?

• Creo que hay que saber cómo es la parte de la fracción unitaria de un modelo para dibujar el resto del modelo porque . . .

5 El siguiente modelo muestra $\frac{1}{4}$ de un rectángulo. Haz un dibujo para mostrar cómo podría ser el rectángulo entero. Luego sombrea para mostrar $\frac{2}{4}$.

CONÉCTALO

Completa los problemas de abajo.

6 ¿Cómo puedes usar un modelo sombreado para nombrar una fracción?

7 Mira el rectángulo.

   a. ¿Qué fracción unitaria es cada parte?

   . . . .

   b. Sombrea 4 partes del rectángulo y escribe la fracción que sombreaste.

   . . . .

Practica describir las partes de un entero con fracciones

Estudia cómo el Ejemplo muestra cómo escribir una fracción para las partes de un entero. Luego resuelve los problemas 1 a 8.

EJEMPLO

- Hay 6 partes iguales.

- Cada parte es un sexto, o $\frac{1}{6}$.

- Hay 5 partes sombreadas.

- Cinco sextos del entero están sombreados.

- Este modelo muestra la fracción $\frac{5}{6}$.

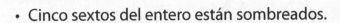

Completa los espacios en blanco para describir cada figura de los problemas 1 y 2.

 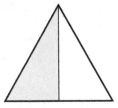

partes iguales: ....

parte(s) sombreada(s): ....

fracción del entero que está sombreada: ....

partes iguales: ....

parte(s) sombreada(s): ....

fracción del entero que está sombreada: ....

Vocabulario

fracción número que nombra partes iguales de un entero.

Resuelve.

3 Sombrea esta figura para mostrar $\frac{3}{4}$.

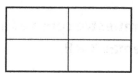

4 Sombrea esta figura para mostrar $\frac{2}{6}$.

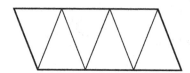

5 Sombrea 3 partes de esta figura.

¿Qué fracción está sombreada? ....

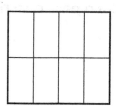

6 Sombrea 7 partes de esta figura.

¿Qué fracción está sombreada? ....

7 [ ] es $\frac{1}{4}$ de un rectángulo.

Dibuja el rectángulo. Muestra las partes.

8 es $\frac{1}{4}$ de un rectángulo.

Dibuja el rectángulo. Muestra las partes.
Luego sombrea $\frac{2}{4}$ de tu rectángulo.

Refina Ideas acerca de qué es una fracción

APLÍCALO

Completa estos problemas por tu cuenta.

1 CREA

La parte que se muestra es $\frac{1}{6}$ de un rectángulo. Haz un modelo para mostrar cómo podría ser el rectángulo entero.

2 EXPLICA

Mira estos cuadrados. Cada uno está dividido en partes iguales.

Lynn dice que cada cuadrado tiene la misma fracción sombreada. Rose dice que cada cuadrado tiene una fracción sombreada diferente. Explica quién tiene razón y por qué.

 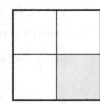

3 COMPARA

Mira estos triángulos. Cada uno está dividido en partes iguales.

¿En qué se parece la fracción sombreada de cada modelo?

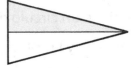

¿En qué es diferente la fracción sombreada de cada modelo?

EN PAREJA

Comenta con un compañero tus soluciones a estos tres problemas.

Usa lo que aprendiste para resolver el problema 4.

4 Adam tiene $\frac{1}{3}$ de una pizza, Hillary tiene $\frac{2}{6}$ de una pizza y John tiene $\frac{3}{8}$ de una pizza.

Adam	Hillary	John

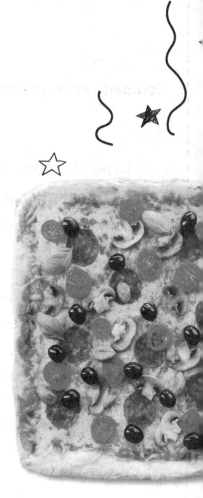

Parte A Muestra el número de partes iguales de cada pizza. Luego sombrea cada pizza para mostrar la fracción que tiene cada persona.

Parte B Encierra en un círculo una de las pizzas. Explica cómo supiste cuántas partes iguales mostrar y cuántas partes sombrear.

5 DIARIO DE MATEMÁTICAS

Mike tiene un círculo dividido en partes iguales. Una parte está sombreada y las otras tres partes no. Mike dice que su círculo muestra la fracción $\frac{1}{3}$. ¿Tiene razón? Haz un dibujo para ayudarte a explicar.

Comprende Fracciones en una recta numérica

Estimada familia:

Esta semana su niño está explorando fracciones en una recta numérica.

Las fracciones son números que expresan o nombran las partes de un número entero. Puede contar fracciones en una recta numérica al igual que se cuentan los números enteros.

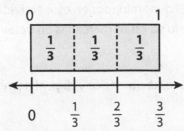

Las rectas numéricas también pueden mostrar fracciones mayores que 1. Cada sección entre un par de números enteros (como 0 y 1 o 1 y 2) puede dividirse en el mismo número de partes iguales.

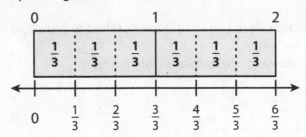

La recta numérica de arriba muestra que 1 entero es igual que $\frac{3}{3}$ y que 2 enteros es lo mismo que $\frac{6}{3}$.

En la recta numérica de abajo, la fracción que nombra el punto B es $\frac{5}{2}$. Puede saberlo porque cada entero está dividido en mitades. Contando de mitades en mitades $\left(\frac{1}{2}\right)$, 1 entero son 2 mitades y 2 enteros son 4 mitades. B marca la quinta mitad, que se escribe como $\frac{5}{2}$.

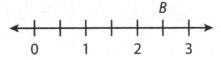

Invite a su niño a compartir lo que sabe sobre fracciones en una recta numérica haciendo juntos la siguiente actividad.

ACTIVIDAD FRACCIONES EN UNA RECTA NUMÉRICA

Haga la siguiente actividad con su niño para ayudarlo a comprender fracciones en una recta numérica.

Materiales 2 cubos numéricos con los números del 1 al 6, las rectas numéricas en blanco de abajo, lápices

Ayude a su niño a que practique hallar fracciones en una recta numérica con esta actividad.

- Túrnense para lanzar los cubos numéricos. La suma de los dos números en los cubos indica el numerador de su fracción. El denominador en esta actividad siempre será 8. Las rectas numéricas de abajo ya están marcadas en octavos para usted.

- En su turno, halle y marque la fracción en la recta numérica y diga el nombre de la fracción.

    Por ejemplo, si obtuvo 5 y 4, sume 5 y 4 para obtener su numerador de 9. Luego halle y marque $\frac{9}{8}$ en la recta numérica y diga en voz alta: *Mi fracción es nueve octavos.*

- Si obtiene el mismo numerador de nuevo en otro turno, saltee su turno.

- Gana el primer jugador en rotular cinco fracciones diferentes.

Jugador 1

0   1   2

Jugador 2

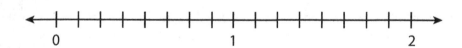

0   1   2

Explora Fracciones en una recta numérica

¿Cómo te ayudan las rectas numéricas a comprender las fracciones?

HAZ UN MODELO
Completa los modelos de abajo.

1 Esta recta numérica muestra números enteros. La distancia desde cada número hasta el siguiente es de 1 entero. Completa la recta numérica escribiendo los rótulos de los números que faltan.

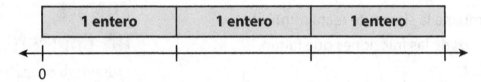

2 Las fracciones son números que nombran partes de un entero. Puedes mostrar fracciones en una recta numérica. En la siguiente recta numérica, el entero que está entre 0 y 1 está dividido en partes iguales. Rotula cada parte del modelo de área con la fracción unitaria que representa.

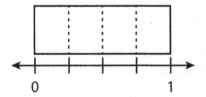

Objetivo de aprendizaje

- Representar una fracción $\frac{a}{b}$ en una recta numérica marcando a longitudes $\frac{1}{b}$ a partir del 0. Reconocer que el intervalo resultante tiene un tamaño $\frac{a}{b}$ y que su extremo marca el número $\frac{a}{b}$ en la recta numérica.

EPM 1, 2, 3, 4, 5, 6, 7

CONVERSA CON UN COMPAÑERO

- ¿Rotularon tu compañero y tú las partes de la misma manera en el problema 2?

- Creo que las rectas numéricas pueden mostrar tanto fracciones como números enteros porque . . .

HAZ UN MODELO

Completa los problemas de abajo.

3 Las fracciones se pueden contar en una recta numérica de la misma manera en que se cuentan los números enteros.

a. Completa los espacios en blanco para contar los cuartos.

1, 2, 3, 4, . . .

1 cuarto, ... cuartos, ... cuartos, ... cuartos, . . .

b. Ahora cuenta los cuartos en la recta numérica. Termina de rotular la recta numérica escribiendo los numeradores que faltan.

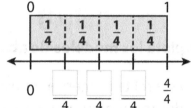

4 También puedes usar rectas numéricas para mostrar fracciones mayores que 1. Completa la siguiente recta numérica escribiendo los rótulos de las fracciones que faltan.

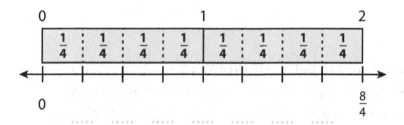

Algunas fracciones mayores que 1 tienen una parte entera y una parte fraccionaria. Esto se llama **número mixto**. Mira la fracción que rotulaste como $\frac{5}{4}$ en la recta numérica de arriba. Como $\frac{4}{4}$ es 1 entero, $\frac{5}{4}$ es lo mismo que 1 entero y $\frac{1}{4}$ más. Puedes escribirlo como el número mixto $1\frac{1}{4}$. 1 es la parte entera del número y $\frac{1}{4}$ es la parte fraccionaria del número.

5 REFLEXIONA

Mira las fracciones en la recta numérica del problema 4. ¿Por qué crees que el numerador y el denominador son los mismos en la fracción que nombra 1 entero?

....

....

Prepárate para explorar fracciones en una recta numérica

1) Piensa en lo que sabes acerca de las fracciones. Llena cada recuadro. Usa palabras, números y dibujos. Muestra tantas ideas como puedas.

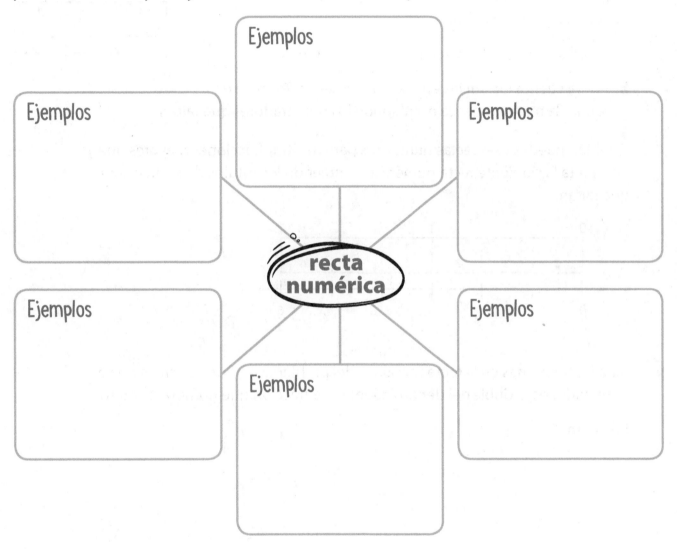

Ejemplos

Ejemplos

Ejemplos

recta numérica

Ejemplos

Ejemplos

Ejemplos

2) En la siguiente recta numérica el entero que está entre 0 y 1 está dividido en partes iguales. Rotula cada parte del modelo de área con la fracción unitaria que representa.

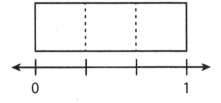

Resuelve.

③ Las fracciones se pueden contar en una recta numérica de la misma manera en que se cuentan los números enteros.

a. Completa los espacios en blanco para contar los tercios.

1, 2, 3, . . .

1 tercio, ... tercios, ... tercios, . . .

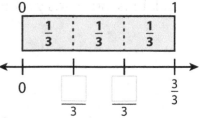

b. Ahora cuenta los tercios en la recta numérica. Termina de rotular la recta numérica escribiendo los numeradores que faltan.

④ También puedes usar rectas numéricas para mostrar fracciones mayores que 1. Completa la siguiente recta numérica escribiendo los rótulos de las fracciones que faltan.

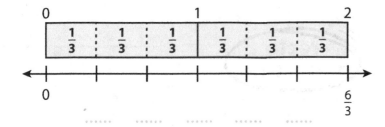

⑤ Mira las fracciones en la recta numérica del problema 4. ¿Por qué crees que el numerador es el doble del denominador en la fracción que nombra 2 enteros?

Solución ....

....

....

....

Desarrolla Comprender fracciones en una recta numérica

HAZ UN MODELO: MODELOS DE ÁREA

Prueba estos dos problemas.

1 Escribe los rótulos que faltan en la recta numérica debajo del modelo de área. Luego di qué fracción muestra cada parte del modelo de área.

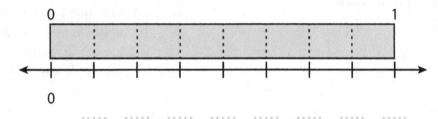

Cada parte muestra ....

2 Escribe los rótulos que faltan en la recta numérica debajo del modelo de área. Luego di qué fracción muestra cada parte del modelo de área.

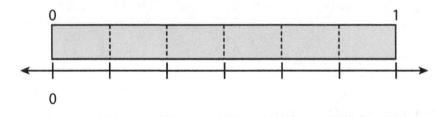

Cada parte muestra ....

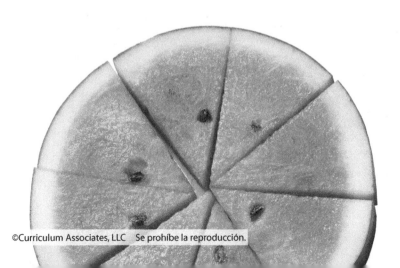

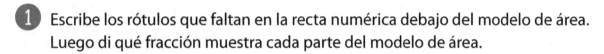

> **CONVERSA CON UN COMPAÑERO**
>
> • ¿Cómo decidiste cuál era el denominador en cada problema?
>
> • Creo que usar un modelo de área me ayuda a rotular fracciones en una recta numérica porque . . .

HAZ UN MODELO: RECTAS NUMÉRICAS

Identifica la fracción en *A* en cada recta numérica.

3
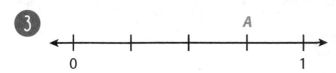

4

CONVERSA CON UN COMPAÑERO

- ¿Usaron tu compañero y tú el mismo razonamiento para resolver los problemas 3 y 4?

- Creo que contar fracciones unitarias puede ayudarte a identificar las fracciones en los problemas 3 y 4 porque . . .

CONÉCTALO

Completa los problemas de abajo.

5 ¿En qué se parece usar una recta numérica para mostrar fracciones a usar un modelo de área? ¿En qué es diferente?

6 Usa una recta numérica para mostrar la fracción.

a. $\frac{4}{6}$

b. $\frac{6}{4}$

Practica mostrar fracciones en una recta numérica

Estudia cómo el Ejemplo muestra fracciones en una recta numérica.
Luego resuelve los problemas 1 a 12.

EJEMPLO

La recta numérica muestra la sección de 0 a 1.

El modelo de área muestra un entero.

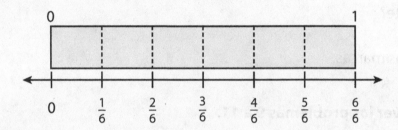

Hay 6 partes iguales en esta sección.

Cada parte es $\frac{1}{6}$ del entero.

Para rotular las marcas, cuenta de la misma manera que con los números enteros.

Usa el modelo de área y la siguiente recta numérica para resolver los problemas 1 a 4.

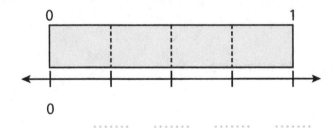

① ¿Cuántas partes iguales hay en este entero? ....

② ¿Qué fracción muestra cada parte? ....

③ Rotula las marcas en la recta numérica.

④ ¿Cuál es otro nombre para 1? ....

Usa esta recta numérica para resolver los problemas 5 a 8.

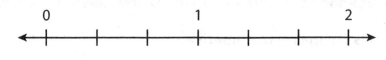

5 ¿Cuántas partes iguales hay entre 0 y 1? ....

6 ¿Cuántas partes iguales hay entre 1 y 2? ....

7 ¿Qué fracción muestra cada parte? ....

8 Escribe fracciones para rotular las marcas.

Usa esta recta numérica para resolver los problemas 9 a 11.

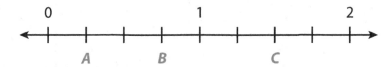

9 **A** es ....

10 **B** es ....

11 **C** es ....

12 Escribe la fracción $\frac{3}{2}$ donde corresponda en esta recta numérica.

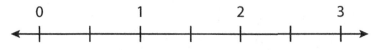

Explica cómo supiste dónde colocar $\frac{3}{2}$.

Refina Ideas acerca de fracciones en una recta numérica

APLÍCALO

Completa estos problemas por tu cuenta.

1 EXPLICA

Amira dice que *A* está en $\frac{7}{8}$.

¿Tiene razón? Explica.

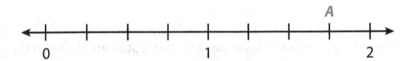

2 DEMUESTRA

Usa la siguiente recta numérica para mostrar la fracción $\frac{5}{6}$.

Explica cómo supiste dónde rotular $\frac{5}{6}$.

3 REPRESENTA

Usa la siguiente recta numérica para mostrar que hay 8 octavos en 1 entero.

EN PAREJA

Comenta con un compañero tus soluciones a estos tres problemas.

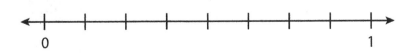

Usa lo que aprendiste para resolver el problema 4.

4 Zara y John caminan por un sendero de 2 millas de largo. Hay carteles que marcan cada octavo de milla a lo largo del sendero.

Parte A Haz una recta numérica para mostrar la longitud del sendero. Luego marca la recta numérica para mostrar dónde está cada cartel.

Parte B Zara se detiene para tomar agua en el cartel de $\frac{3}{8}$ de milla. John se detiene a descansar después de $\frac{12}{8}$ de milla. Rotula la marca de $\frac{3}{8}$ en tu recta numérica con una Z para Zara y rotula la marca de $\frac{12}{8}$ con una J para John.

Parte C ¿Quién se detiene antes de la marca de 1 milla? ¿Quién se detiene después de la marca de 1 milla? Explica cómo lo sabes.

5 DIARIO DE MATEMÁTICAS

Explica cómo mostrar $\frac{3}{4}$ en una recta numérica. Usa un dibujo para ayudarte.

$\frac{1}{8}$ de milla

Comprende Fracciones equivalentes

Estimada familia:

Esta semana su niño está explorando fracciones equivalentes.

Las **fracciones equivalentes** muestran la misma cantidad del entero y nombran el mismo número, pero representan enteros que están divididos en diferentes números de partes de igual tamaño.

Para cubrir la misma cantidad que $\frac{1}{2}$ de un entero, necesita dos $\frac{1}{4}$ o tres $\frac{1}{6}$ o cuatro $\frac{1}{8}$.

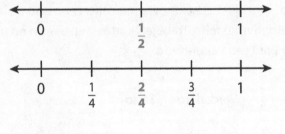

Los diagramas muestran que:

$\frac{1}{2}$ y $\frac{2}{4}$ son fracciones equivalentes.

$\frac{1}{2}$ y $\frac{3}{6}$ son fracciones equivalentes.

$\frac{2}{4}$ y $\frac{4}{8}$ son fracciones equivalentes.

También puede mostrar fracciones equivalentes usando rectas numéricas. $\frac{1}{2}$ y $\frac{2}{4}$ se ubican en el mismo punto de una recta numérica, así que son equivalentes.

Note que cuando hablamos de fracciones equivalentes, siempre nos referimos a un entero del

mismo tamaño. Estos rectángulos no tienen el mismo tamaño. Muestran que $\frac{1}{2}$ de un rectángulo pequeño NO es equivalente a $\frac{2}{4}$ de un rectángulo más grande.

Invite a su niño a compartir lo que sabe sobre fracciones equivalentes haciendo juntos la siguiente actividad.

ACTIVIDAD HACER BARRAS DE FRACCIONES

Haga la siguiente actividad con su niño para ayudarlo a comprender las fracciones equivalentes.

Materiales papel, lápiz, tijeras

Explore fracciones equivalentes con su niño con barras de fracciones hechas en casa.

- Trabaje con su niño para recortar una hoja de papel común en tres tiras a lo largo, cada una de unas 2 pulgadas de ancho. Todas deben tener el mismo tamaño.

- Doble una tira o barra por la mitad para formar dos partes que tengan el mismo tamaño.

- Doble la segunda barra por la mitad y luego otra vez por la mitad para formar cuatro partes que tengan todas el mismo tamaño.

- Doble la última barra por la mitad tres veces para formar ocho partes iguales.

- Desdoble cada barra. Dibuje líneas sobre los pliegues y luego rotule las secciones. Las secciones de la primera barra deben rotularse $\frac{1}{2}$, la segunda barra $\frac{1}{4}$, y la última barra $\frac{1}{8}$.

- Ahora, coloque las barras una junto a la otra de manera que los lados más largos se toquen. Úselas para indicar si cada uno de los siguientes enunciados es verdadero o falso. Trabajen juntos y encierren en un círculo *Verdadero* o *Falso* para cada enunciado.

1. $\frac{1}{4} = \frac{2}{8}$ Verdadero   Falso

2. $\frac{3}{4} = \frac{3}{8}$ Verdadero   Falso

3. $\frac{1}{2} = \frac{4}{8}$ Verdadero   Falso

4. $\frac{2}{2} = \frac{4}{4}$ Verdadero   Falso

5. $\frac{2}{2} = \frac{2}{4}$ Verdadero   Falso

$\frac{1}{2}$		$\frac{1}{2}$	
$\frac{1}{4}$	$\frac{1}{4}$	$\frac{1}{4}$	$\frac{1}{4}$
$\frac{1}{8}$ $\frac{1}{8}$	$\frac{1}{8}$ $\frac{1}{8}$	$\frac{1}{8}$ $\frac{1}{8}$	$\frac{1}{8}$ $\frac{1}{8}$

Respuestas: **1.** Verdadero; **2.** Falso; **3.** Verdadero; **4.** Verdadero; **5.** Falso

Explora Fracciones equivalentes

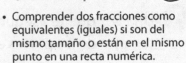

¿Cómo pueden dos fracciones diferentes ser iguales?

HAZ UN MODELO

Completa los problemas de abajo.

1 Los dos círculos y las dos rectas numéricas que se muestran son del mismo tamaño.

a. Sombrea $\frac{1}{2}$ del primer círculo y $\frac{2}{4}$ del segundo círculo.

b. Rotula $\frac{1}{2}$ en la recta numérica de arriba y $\frac{2}{4}$ en la recta numérica de abajo.

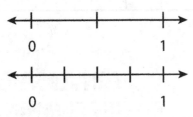

c. ¿Qué puedes decir acerca de las fracciones $\frac{1}{2}$ y $\frac{2}{4}$?

2 Las fracciones diferentes que nombran la misma cantidad del entero son **fracciones equivalentes**.

a. Encierra en un círculo el par de modelos que muestran que $\frac{1}{2}$ y $\frac{2}{4}$ son equivalentes.

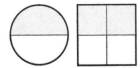
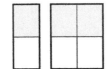

b. ¿Cómo supiste qué par de modelos encerrar en un círculo en la Parte a?

CONVERSA CON UN COMPAÑERO

• ¿Cómo muestran las rectas numéricas del problema 1 que $\frac{1}{2}$ es equivalente a $\frac{2}{4}$?

• Creo que los enteros deben ser del mismo tamaño para comparar las fracciones porque . . .

HAZ UN MODELO

Completa los problemas de abajo.

3 Una vez que te asegures de que los enteros son del mismo tamaño, mira el tamaño de las partes en cada entero para nombrar las fracciones equivalentes.

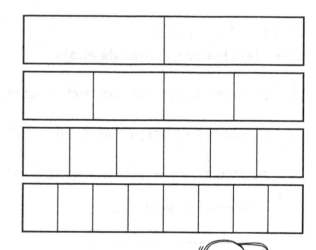

a. Rotula cada parte de los modelos de la derecha con la fracción unitaria que representa.

b. Sombrea el modelo de arriba para mostrar $\frac{1}{2}$.

¿Cuántas partes sombreaste? ....

c. Sombrea el segundo modelo para mostrar una fracción equivalente a $\frac{1}{2}$. ¿Cuántas partes sombreaste? ....

d. Sombrea el tercer modelo para mostrar una fracción equivalente a $\frac{1}{2}$. ¿Cuántas partes sombreaste? ....

e. Sombrea el último modelo para mostrar una fracción equivalente a $\frac{1}{2}$. ¿Cuántas partes sombreaste? ....

f. Completa la ecuación usando los modelos:

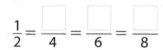

$$\frac{1}{2} = \frac{\square}{4} = \frac{\square}{6} = \frac{\square}{8}$$

4 REFLEXIONA

Explica por qué se necesitan más $\frac{1}{8}$ que $\frac{1}{4}$ para formar una fracción equivalente a $\frac{1}{2}$.

....

....

....

Prepárate para explorar fracciones equivalentes

1 Piensa en lo que sabes acerca de las fracciones. Llena cada recuadro. Usa palabras, números y dibujos. Muestra tantas ideas como puedas.

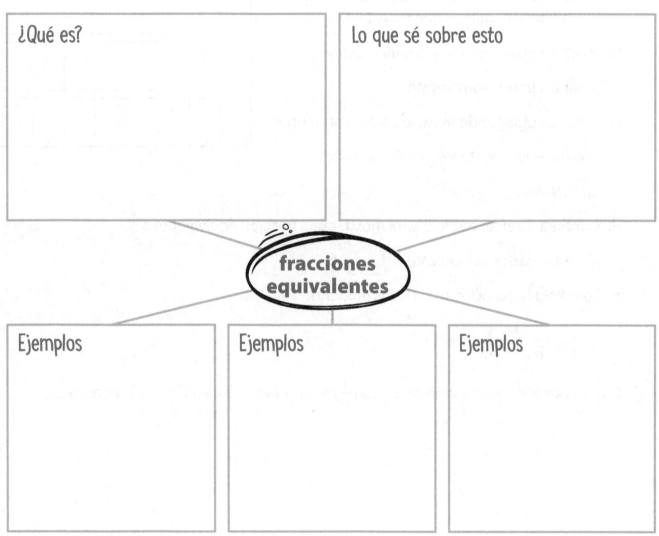

¿Qué es?

Lo que sé sobre esto

fracciones equivalentes

Ejemplos

Ejemplos

Ejemplos

2 Encierra en un círculo el par de modelos que muestra que $\frac{1}{2}$ y $\frac{3}{6}$ son equivalentes. Explica.

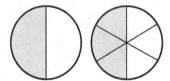 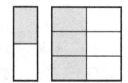 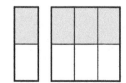

Resuelve.

3 Una vez que te asegures de que los enteros son del mismo tamaño, mira el tamaño de las partes en cada entero para nombrar las fracciones equivalentes.

a. Rotula cada parte de los modelos de la derecha con la fracción unitaria que representa.

b. Sombrea el primer modelo para mostrar $\frac{1}{3}$.

¿Cuántas partes sombreaste? ....

c. Sombrea el segundo modelo para mostrar una fracción equivalente a $\frac{1}{3}$. ¿Cuántas partes sombreaste? ....

d. Sombrea el tercer modelo para mostrar una fracción equivalente a $\frac{1}{3}$.

¿Cuántas partes sombreaste? ....

e. Completa la ecuación usando los modelos:

$$\frac{1}{3} = \frac{\square}{6} = \frac{\square}{9}$$

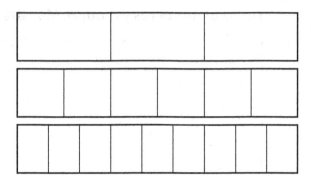

4 Explica por qué se necesitan más $\frac{1}{9}$ que $\frac{1}{6}$ para formar una fracción equivalente a $\frac{1}{3}$.

Desarrolla Comprender fracciones equivalentes

HAZ UN MODELO: RECTAS NUMÉRICAS

Prueba estos dos problemas.

 a. Completa las rectas numéricas escribiendo las fracciones que faltan.

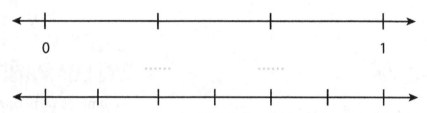

b. Escribe las fracciones equivalentes.

$\frac{1}{3} =$ ....

$\frac{2}{3} =$ ....

2 **a.** Completa las rectas numéricas escribiendo las fracciones que faltan.

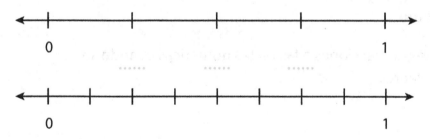

b. Escribe las fracciones equivalentes.

$\frac{1}{4} =$ ....

$\frac{6}{8} =$ ....

CONVERSA CON UN COMPAÑERO

• ¿Completaron tu compañero y tú las rectas numéricas de la misma manera?

• Creo que las rectas numéricas son una buena manera de mostrar fracciones equivalentes porque . . .

HAZ UN MODELO: BARRAS DE FRACCIONES

Usa las barras de fracciones para mostrar fracciones equivalentes.

3 Sombrea una cantidad equivalente a $\frac{2}{3}$ en la barra de abajo.

$\frac{1}{3}$	$\frac{1}{3}$	$\frac{1}{3}$

$\frac{1}{6}$	$\frac{1}{6}$	$\frac{1}{6}$	$\frac{1}{6}$	$\frac{1}{6}$	$\frac{1}{6}$

¿Qué fracción sombreaste? ....

4 Sombrea una cantidad equivalente a $\frac{4}{8}$ en la barra de abajo.

$\frac{1}{8}$	$\frac{1}{8}$	$\frac{1}{8}$	$\frac{1}{8}$	$\frac{1}{8}$	$\frac{1}{8}$	$\frac{1}{8}$	$\frac{1}{8}$

$\frac{1}{6}$	$\frac{1}{6}$	$\frac{1}{6}$	$\frac{1}{6}$	$\frac{1}{6}$	$\frac{1}{6}$

¿Qué fracción sombreaste? ....

CONVERSA CON UN COMPAÑERO

- ¿Sombrearon tu compañero y tú las barras de fracciones de la misma manera?

- Creo que las barras de fracciones son una buena manera de mostrar fracciones equivalentes porque . . .

CONÉCTALO

Completa los problemas de abajo.

5 ¿En qué se parecen las barras de fracciones a las rectas numéricas cuando se muestran fracciones equivalentes?

6 Rotula las rectas numéricas. Luego escribe cualquier fracción equivalente.

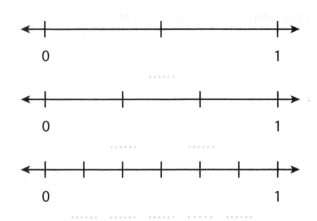

Practica mostrar fracciones equivalentes

Estudia como el Ejemplo muestra fracciones equivalentes con rectas numéricas y modelos de área. Luego resuelve los problemas 1 a 5.

EJEMPLO

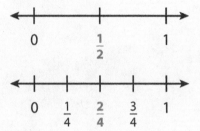

$\frac{1}{2}$ y $\frac{2}{4}$ están en el mismo lugar en las rectas numéricas.

$\frac{1}{2}$ es equivalente a $\frac{2}{4}$.

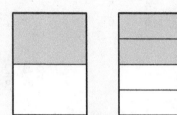

Los rectángulos tienen la misma cantidad sombreada

$\frac{1}{2}$ es equivalente a $\frac{2}{4}$.

1 ¿Muestra cada modelo fracciones equivalentes?

	Sí	No
$\frac{1}{2}$ $\frac{1}{2}$ $\frac{1}{8}$ $\frac{1}{8}$ $\frac{1}{8}$ $\frac{1}{8}$ $\frac{1}{8}$ $\frac{1}{8}$ $\frac{1}{8}$ $\frac{1}{8}$	Ⓐ	Ⓑ
$\frac{1}{2}$ $\frac{2}{6}$	Ⓒ	Ⓓ

Vocabulario

fracciones equivalentes
fracciones que nombran la misma parte de un entero. $\frac{1}{2}$ y $\frac{2}{4}$ son equivalentes.

Usa las rectas numéricas para identificar fracciones equivalentes en los problemas 2 y 3.

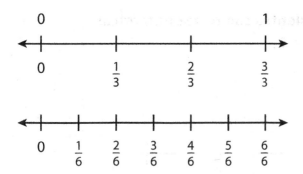

2 $\frac{2}{6} =$ ....

3 $\frac{2}{3} =$ ....

4 Mira las fracciones que muestran los hexágonos sombreados. Escribe fracciones equivalentes para las partes sombreadas.

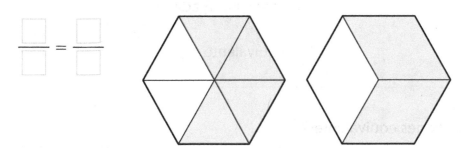

5 Sombrea $\frac{6}{8}$ del rectángulo *A*. Luego sombrea el rectángulo *B* para mostrar una fracción equivalente a $\frac{6}{8}$.

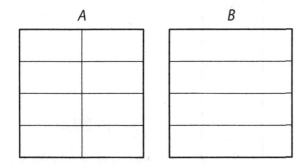

Escribe la fracción equivalente. ....

Refina Ideas acerca de las fracciones equivalentes

APLÍCALO

Completa estos problemas por tu cuenta.

1 DEMUESTRA

Usa las siguientes barras de fracciones para mostrar $\frac{1}{4} = \frac{2}{8}$.

$\frac{1}{4}$	$\frac{1}{4}$	$\frac{1}{4}$	$\frac{1}{4}$

$\frac{1}{8}$	$\frac{1}{8}$	$\frac{1}{8}$	$\frac{1}{8}$	$\frac{1}{8}$	$\frac{1}{8}$	$\frac{1}{8}$	$\frac{1}{8}$

2 EXPLICA

Cooper hizo estos modelos.

Dice que muestran $\frac{2}{3} = \frac{2}{6}$.

¿Qué error cometió Cooper?

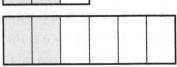

3 REPRESENTA

Dibuja marcas en la siguiente recta numérica para mostrar
octavos. Encima de cada marca que hagas, escribe la fracción
que representa.

EN PAREJA
Comenta con un
compañero tus soluciones
a estos tres problemas.

¿Qué octavo es equivalente a $\frac{1}{2}$? ....

Usa lo que aprendiste para resolver el problema 4.

4 Cuatro amigos comieron cada uno una parte de su barra de granola. Todas las barras de granola eran el mismo tamaño. Meg comió $\frac{4}{6}$, Joe comió $\frac{4}{8}$, Beth comió $\frac{6}{8}$ y Amy comió $\frac{2}{3}$.

Parte A ¿Qué dos amigos comieron la misma cantidad de una barra de granola?

Completa los modelos para mostrar que tu respuesta es correcta.

	Meg
	Joe
	Beth
	Amy

Parte B Fred dividió su barra de granola en cuartos. Comió la misma cantidad que Beth. Rotula la recta numérica para mostrar cuánto comió Beth. Haz otra recta numérica para la barra de granola de Fred y marca cómo dividió su barra. Rotula la fracción de la barra de granola que comió Fred.

¿Qué fracción de su barra de granola comió Fred? ....

Beth $\longleftarrow$ |——|——|——|——|——|——|——|——| $\longrightarrow$
       0   $\frac{1}{8}$ $\frac{2}{8}$ $\frac{3}{8}$ $\frac{4}{8}$ $\frac{5}{8}$ $\frac{6}{8}$ $\frac{7}{8}$ 1

5 DIARIO DE MATEMÁTICAS

Cuando haces dos rectas numéricas para mostrar fracciones equivalentes, ¿cómo puedes asegurarte de que un entero sea del mismo tamaño en ambas rectas numéricas?

Halla fracciones equivalentes

Estimada familia:

Esta semana su niño está aprendiendo a hallar fracciones equivalentes.

Usar un modelo o un diagrama para representar fracciones equivalentes ayuda a visualizar por qué son equivalentes.

Los modelos de la derecha muestran que $\frac{2}{8}$ y $\frac{1}{4}$ son equivalentes porque cubren la misma cantidad de círculos del mismo tamaño.

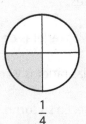

$\frac{1}{4}$

El círculo que muestra $\frac{2}{8}$ tiene líneas continuas que muestran cuartos y líneas punteadas que muestran cómo se divide cada cuarto para formar octavos. Esto ayuda a ver que como los octavos son más pequeños que los cuartos, se necesitan más de ellos para cubrir la misma cantidad.

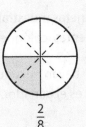

$\frac{2}{8}$

Una recta numérica es otro modelo en que se pueden mostrar fracciones equivalentes.

Esta recta numérica muestra tanto cuartos como octavos. Como $\frac{1}{4}$ y $\frac{2}{8}$ están en el mismo punto, $\frac{1}{4}$ y $\frac{2}{8}$ son equivalentes.

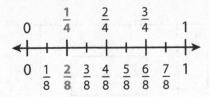

Un número entero también se puede escribir como una fracción, con un denominador de 1. Un denominador de 1 significa que el entero no ha sido dividido en partes. Un entero se puede escribir como $\frac{1}{1}$, 2 enteros como $\frac{2}{1}$ y así sucesivamente.

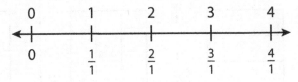

Invite a su niño a compartir lo que sabe sobre hallar fracciones equivalentes haciendo juntos la siguiente actividad.

ACTIVIDAD FRACCIONES EQUIVALENTES

Haga la siguiente actividad con su niño para ayudarlo a reconocer fracciones equivalentes.

Materiales las tarjetas de abajo, tijeras

Juegue este juego de emparejar para practicar cómo reconocer fracciones equivalentes.

• Recorte las tarjetas de abajo y coloree la parte de atrás.

• Mezcle las tarjetas y colóquelas boca abajo en dos filas.

• Túrnense. En su turno, dé vuelta dos tarjetas. Nombre las fracciones.

• Si las tarjetas muestran fracciones equivalentes, quédeselas. Si no son equivalentes, colóquelas boca abajo en el mismo lugar donde estaban.

• Cuando hayan encontrado todas las fracciones equivalentes, el jugador con más tarjetas es el ganador.

• Mientras juegan, haga a su niño preguntas como estas:
  • *Si te quedas con las tarjetas, ¿cómo sabes que las fracciones son equivalentes?*
  • *Si debes devolverlas adonde estaban, ¿cómo sabes que las fracciones no son equivalentes?*

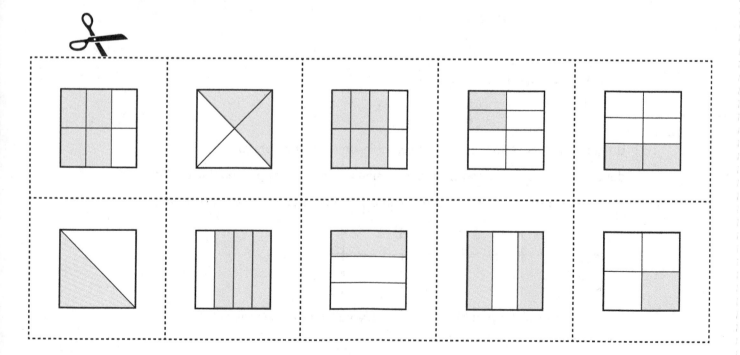

Explora Fracciones equivalentes

Antes aprendiste que las fracciones equivalentes nombran la misma cantidad del entero. En esta lección aprenderás más acerca de cómo hallar fracciones equivalentes. Usa lo que sabes para tratar de resolver el siguiente problema.

La mamá de Izzy hornea un pastel. Coloca glaseado de chocolate a la mitad del pastel y glaseado de vainilla a la otra mitad del pastel. Luego la mamá de Izzy corta el pastel en cuartos para que cada cuarto tenga solo glaseado de chocolate o solo glaseado de vainilla.

¿Qué fracción, además de $\frac{1}{2}$, nombra la parte del pastel que tiene glaseado de chocolate?

PRUÉBALO

Herramientas matemáticas

- círculos de fracciones
- papel cuadriculado de 1 pulgada
- tarjetas en blanco
- crayones
- modelos de fracciones
- rectas numéricas

CONVERSA CON UN COMPAÑERO

Pregúntale: ¿Puedes explicarme eso otra vez?

Dile: Yo ya sabía que . . . así que . . .

CONÉCTALO

1 REPASA

¿Qué fracción, además de $\frac{1}{2}$, nombra la parte del pastel que tiene glaseado de chocolate? .... ¿Cómo obtuviste tu respuesta?

2 SIGUE ADELANTE

Has visto muchos tipos de modelos de fracciones, como los modelos de área, las rectas numéricas y las barras de fracciones. Puedes hallar fracciones equivalentes dividiendo el mismo modelo de diferentes maneras.

a. Cada pastel de abajo muestra cuartos. Traza líneas en uno de los pasteles para mostrar octavos.

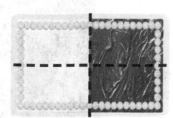 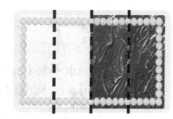 

b. ¿Cuántos trozos del pastel tienen glaseado de chocolate ahora? ....

c. También puedes mirar diferentes partes de igual tamaño en una recta numérica para hallar fracciones equivalentes. Completa la fracción en cuartos que es equivalente a $\frac{1}{2}$.

3 REFLEXIONA

¿Por qué tiene sentido que $\frac{1}{2}$ y $\frac{2}{4}$ nombren la misma cantidad?

Prepárate para hallar fracciones equivalentes

1 Piensa en lo que sabes acerca de las fracciones. Llena cada recuadro. Usa palabras, números y dibujos. Muestra tantas ideas como puedas.

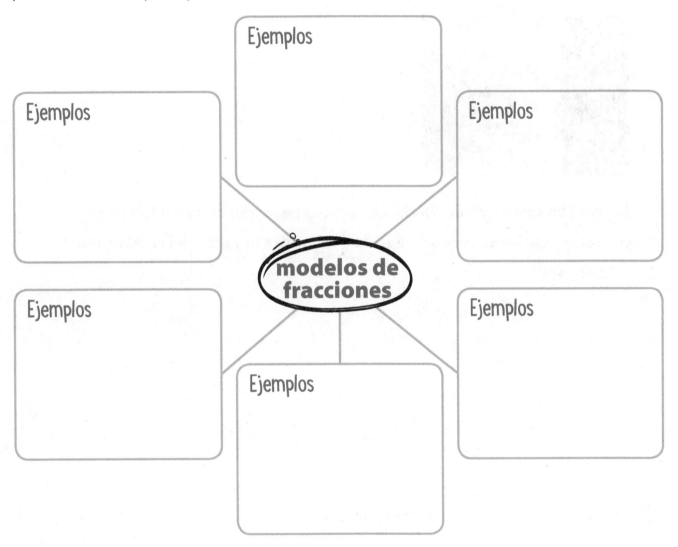

Ejemplos

Ejemplos

Ejemplos

modelos de fracciones

Ejemplos

Ejemplos

Ejemplos

2 Cada modelo de fracciones muestra tercios. Traza líneas en cada modelo para mostrar sextos.

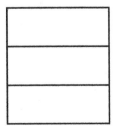  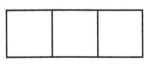

③ Resuelve el problema. Muestra tu trabajo.

Len tiene 3 tiras de cartulina. Cada tira tiene el mismo tamaño y un color diferente: rojo, amarillo y rosado. Él pega las tiras con cinta adhesiva para formar un rectángulo.

Luego Len divide el rectángulo en sextos para que cada sexto tenga un color. ¿Qué fracción, además de $\frac{1}{3}$, nombra la parte del rectángulo que es roja?

④ Comprueba tu respuesta. Muestra tu trabajo.

Desarrolla Hallar fracciones equivalentes

Lee el siguiente problema y trata de resolverlo.

> Carl come $\frac{2}{8}$ de una naranja. La naranja de Trey es del mismo tamaño. Él come $\frac{1}{4}$ de la naranja. Muestra que los dos niños comen la misma cantidad de una naranja.

PRUÉBALO

Herramientas matemáticas
- fichas de fracciones
- círculos de fracciones
- modelos de fracciones
- rectas numéricas
- papel cuadriculado

CONVERSA CON UN COMPAÑERO

Pregúntale: ¿Por qué elegiste esa estrategia?

Dile: Un modelo que usé fue . . . Me ayudó a . . .

Explora diferentes maneras de entender cómo hallar fracciones equivalentes.

Carl come $\frac{2}{8}$ de una naranja. La naranja de Trey es del mismo tamaño. Él come $\frac{1}{4}$ de la naranja. Muestra que los dos niños comen la misma cantidad de una naranja.

HAZ UN DIBUJO

Puedes usar modelos para ayudarte a hallar fracciones equivalentes.

Este modelo muestra $\frac{2}{8}$.

Este modelo muestra $\frac{1}{4}$.

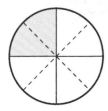 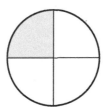

Mira el modelo de $\frac{2}{8}$. Las líneas continuas dividen el círculo en cuartos. Las líneas punteadas dividen cada cuarto a la mitad para formar octavos.

HAZ UN MODELO

También puedes usar una recta numérica para ayudarte a hallar fracciones equivalentes.

Esta recta numérica muestra tanto cuartos como octavos.

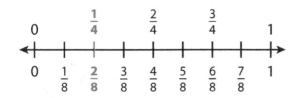

CONÉCTALO

Ahora vas a usar el problema de la página anterior para ayudarte a entender cómo hallar fracciones equivalentes.

1 Mira los modelos en Haz un dibujo. ¿Cómo sabes que $\frac{2}{8}$ del primer modelo están sombreados?

2 ¿Cómo sabes que $\frac{1}{4}$ del segundo modelo está sombreado?

3 Explica cómo muestran los modelos que las fracciones $\frac{2}{8}$ y $\frac{1}{4}$ son equivalentes.

4 ¿Cómo muestra la recta numérica en Haz un modelo que las fracciones $\frac{2}{8}$ y $\frac{1}{4}$ son equivalentes?

5 Completa las oraciones para mostrar que las fracciones sobre las dos naranjas nombran la misma cantidad.

Usa palabras: Dos octavos es igual a ....

Usa fracciones: $\frac{2}{8} =$ ....

6 Describe dos maneras diferentes de mostrar que dos fracciones son equivalentes.

7 REFLEXIONA

Repasa Pruébalo, las estrategias de tus compañeros, Haz un dibujo y Haz un modelo. ¿Qué modelos o estrategias prefieres para hallar fracciones equivalentes? Explica.

....

....

....

APLÍCALO

Usa lo que acabas de aprender para resolver estos problemas.

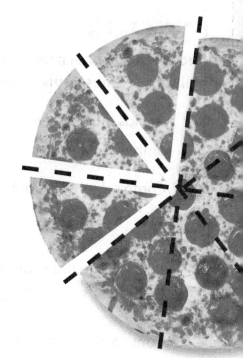

8 Lina y Adam ordenan una pizza pequeña cada uno. Comen la misma cantidad. Lina come $\frac{3}{4}$ de su pizza. La pizza de Adam está dividida en 8 porciones. ¿Cuántas porciones de pizza comió Adam? Muestra tu trabajo.

Solución

9 Haz un modelo para mostrar $\frac{2}{3} = \frac{4}{6}$.

10 Usa la recta numérica para hallar una fracción equivalente a $\frac{1}{3}$. Muestra tu trabajo.

Solución

Practica hallar fracciones equivalentes

Estudia el Ejemplo, que muestra cómo hallar fracciones equivalentes.
Luego resuelve los problemas 1 a 8.

EJEMPLO

Maria colorea de rojo $\frac{1}{3}$ de su papel de arte. Erica colorea de verde $\frac{2}{6}$ de su papel de arte. Los papeles son del mismo tamaño. ¿Colorean las dos niñas la misma cantidad de sus papeles de arte?

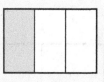

Maria colorea $\frac{1}{3}$.

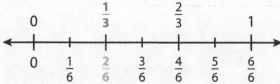

Un tercio es igual a dos sextos.

$$\frac{1}{3} = \frac{2}{6}$$

Erica colorea $\frac{2}{6}$.

Las niñas colorean la misma cantidad de sus papeles de arte.

Usa la recta numérica para completar las fracciones equivalentes en los problemas 1 a 3.

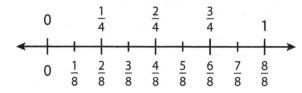

1 $\frac{1}{4} = \frac{\square}{8}$

2 $\frac{6}{8} = \frac{\square}{4}$

3 $\frac{2}{4} = \frac{\square}{\square}$

Vocabulario

fracciones equivalentes
fracciones que nombran el mismo punto en una recta numérica. $\frac{1}{2}$ y $\frac{2}{4}$ son equivalentes.

Sombrea los modelos para mostrar las fracciones equivalentes en los problemas 4 y 5. Luego completa los espacios en blanco para escribir las fracciones equivalentes.

$$\frac{1}{2} \qquad = \qquad \frac{\square}{8}$$

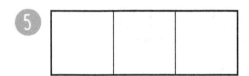 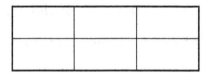

$$\frac{2}{3} \qquad = \qquad \frac{\square}{6}$$

Traza líneas y sombrea para mostrar las fracciones equivalentes en los problemas 6 y 7. Luego completa los espacios en blanco para escribir las fracciones equivalentes.

$$\frac{1}{2} \qquad = \qquad \frac{\square}{4}$$

  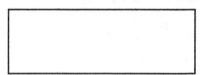

$$\frac{4}{6} \qquad = \qquad \frac{\square}{3}$$

8 ¿Cuál es una fracción equivalente a $\frac{4}{4}$? Explica cómo lo sabes.

Desarrolla Escribir un número entero como una fracción

Lee el siguiente problema y trata de resolverlo.

> Kacey usa 2 tablas del mismo tamaño para construir una pajarera. Él corta cada tabla en cuartos. ¿Cómo puedes escribir el número 2 como una fracción para hallar en cuántos cuartos corta Kacey las tablas?

PRUÉBALO

Herramientas matemáticas

- fichas de fracciones
- círculos de fracciones
- barras de fracciones
- modelos de fracciones
- rectas numéricas
- papel cuadriculado

CONVERSA CON UN COMPAÑERO

Pregúntale: ¿Cómo empezaste a resolver el problema?

Dile: Un modelo que usé fue . . . Me ayudó a . . .

Explora diferentes maneras de entender cómo escribir un número entero como una fracción.

> Kacey usa 2 tablas del mismo tamaño para construir una pajarera. Él corta cada tabla en cuartos. ¿Cómo puedes escribir el número 2 como una fracción para hallar en cuántos cuartos corta Kacey las tablas?

HAZ UN DIBUJO

Puedes usar modelos para ayudarte a escribir un número entero como una fracción.

Las siguientes barras de fracciones muestran 2 enteros, cada uno dividido en cuartos.

Cada parte es $\frac{1}{4}$ de un entero. Hay ocho $\frac{1}{4}$ en total.

HAZ UN MODELO

Puedes usar una recta numérica para ayudarte a escribir un número entero como una fracción.

Esta recta numérica muestra números enteros en la parte de arriba y cuartos en la parte de abajo.

```
    0              1              2
 ←──┼───┼───┼───┼───┼───┼───┼───┼──→
    0   1   2   3   4   5   6   7   8
        ─   ─   ─   ─   ─   ─   ─   ─
        4   4   4   4   4   4   4   4
```

Fíjate que cada número entero tiene una fracción equivalente con un denominador de 4.

CONÉCTALO

Ahora vas a usar el problema de la página anterior para ayudarte a entender cómo escribir un número entero como una fracción.

1 Mira los modelos en Haz un dibujo. ¿Cuántas partes iguales se muestran en 1 entero? Explica cómo lo sabes.

2 ¿Cuántas partes iguales se muestran en 2 enteros? Explica cómo lo sabes.

3 Completa las oraciones para mostrar la fracción que es equivalente a 2.

Usa palabras: Dos enteros equivalen a ....

Usa una fracción: $2 =$ ....

¿En cuántos cuartos corta Kacey las tablas?

4 Explica cómo hallar una fracción equivalente a un número entero.

5 REFLEXIONA

Repasa Pruébalo, las estrategias de tus compañeros, Haz un dibujo y Haz un modelo. ¿Qué modelos o estrategias prefieres para escribir un número entero como una fracción? Explica.

....

....

....

....

....

APLÍCALO

Usa lo que acabas de aprender para resolver estos problemas.

6 Usa el siguiente modelo para escribir una fracción equivalente a 3.

Solución ....

7 Louisa tiene 2 cintas de la misma longitud. Ella corta cada una en octavos. Usa la siguiente recta numérica para ayudarte a escribir el número 2 como una fracción para mostrar en cuántos octavos corta las cintas.

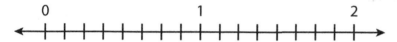

Solución ....

8 Haz un modelo para mostrar $3 = \frac{18}{6}$. Muestra tu trabajo.

Practica escribir un número entero como una fracción

Estudia el Ejemplo, que muestra diferentes maneras de escribir números enteros como fracciones. Luego resuelve los problemas 1 a 13.

EJEMPLO

La Sra. Clark corta 2 trozos de papel de colores del mismo tamaño en sextos para hacer tiras y armar cadenas de papel. ¿Cuántas tiras hace?

| $\frac{1}{6}$ | $\frac{1}{6}$ | $\frac{1}{6}$ | $\frac{1}{6}$ | $\frac{1}{6}$ | $\frac{1}{6}$ |

$$1 \text{ entero} = \text{seis } \frac{1}{6}$$

$$1 = \frac{6}{6}$$

| $\frac{1}{6}$ | $\frac{1}{6}$ | $\frac{1}{6}$ | $\frac{1}{6}$ | $\frac{1}{6}$ | $\frac{1}{6}$ |

$$2 \text{ enteros} = \text{doce } \frac{1}{6}$$

$$2 = \frac{12}{6}$$

Cada tira es $\frac{1}{6}$ de un trozo entero de papel.

La Sra. Clark hace 12 tiras.

Escribe los números enteros como fracciones en los problemas 1 a 4.

| $\frac{1}{3}$ | $\frac{1}{3}$ | $\frac{1}{3}$ | | $\frac{1}{3}$ | $\frac{1}{3}$ | $\frac{1}{3}$ | | $\frac{1}{3}$ | $\frac{1}{3}$ | $\frac{1}{3}$ |

1 $1 = \dfrac{\boxed{}}{3}$

2 $2 = \dfrac{\boxed{}}{3}$

3 $3 = \dfrac{\boxed{}}{3}$

4 $4 = \dfrac{\boxed{}}{3}$

Usa esta recta numérica para resolver los problemas 5 a 8.

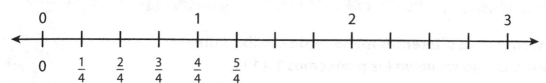

(5) $1 = \dfrac{\square}{4}$

(6) $2 = \dfrac{\square}{4}$

(7) $3 = \dfrac{\square}{4}$

(8) $0 = \dfrac{\square}{4}$

Usa esta recta numérica para resolver los problemas 9 a 11.

(9) Un entero es igual a .... octavos.

(10) 16 octavos es igual a .... enteros.

(11) $3 = \dfrac{\square}{8}$

(12) Usa el siguiente modelo para escribir una fracción equivalente a 3.

$3 = $ ....

(13) Haz un modelo para mostrar $2 = \dfrac{8}{4}$.

Desarrolla Escribir un número entero como una fracción con un denominador de 1

Lee el siguiente problema y trata de resolverlo.

> Justin elige 4 pimientos verdes de su huerto. No los corta en trozos. ¿Cómo puedes escribir el número de pimientos que elige Justin, 4, como una fracción?

PRUÉBALO

Herramientas matemáticas

- círculos de fracciones
- fichas de fracciones
- barras de fracciones
- modelos de fracciones
- rectas numéricas
- papel cuadriculado

CONVERSA CON UN COMPAÑERO

Pregúntale: ¿Estás de acuerdo conmigo? ¿Por qué sí o por qué no?

Dile: Estoy de acuerdo contigo en que . . . porque . . .

Explora diferentes maneras de entender cómo escribir un número entero como una fracción con un denominador de 1.

> **Justin elige 4 pimientos verdes de su huerto. No los corta en trozos. ¿Cómo puedes escribir el número de pimientos que elige Justin, 4, como una fracción?**

HAZ UN DIBUJO

Puedes usar modelos para ayudarte a escribir un número entero como una fracción con un denominador de 1.

Cada círculo representa 1 pimiento verde.

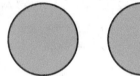

No están divididos en trozos; por lo tanto, cada entero tiene una parte.

HAZ UN MODELO

Puedes usar una recta numérica para ayudarte a escribir un número entero como una fracción con un denominador de 1.

Esta recta numérica muestra números enteros en la parte de arriba y fracciones en la parte de abajo.

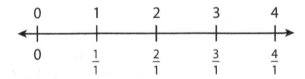

Fíjate que cada número entero tiene una fracción equivalente. Los espacios que hay entre los números enteros no están divididos en partes. Cada número entero tiene una parte; por lo tanto, el denominador de cada fracción equivalente es 1.

CONÉCTALO

Ahora vas a usar el problema de la página anterior para ayudarte a entender cómo escribir un número entero como una fracción con un denominador de 1.

1 Mira los modelos en Haz un dibujo. Explica cómo sabes que cada entero tiene solo 1 parte.

2 ¿Cuántas partes forman los 4 pimientos verdes? ....

3 ¿Qué muestra el numerador de una fracción?

4 ¿Qué muestra el denominador de una fracción?

5 Escribe una fracción equivalente a 4. Usa la siguiente fracción para ayudarte.

$$\frac{\text{número de partes descritas}}{\text{número de partes iguales en el entero}}$$ ....

6 Explica cómo escribir un número entero como una fracción con un denominador de 1.

7 REFLEXIONA

Repasa Pruébalo, las estrategias de tus compañeros, Haz un dibujo y Haz un modelo. ¿Qué modelos o estrategias prefieres para escribir un número entero como una fracción con un denominador de 1? Explica.

APLÍCALO

Usa lo que acabas de aprender para resolver estos problemas.

8 Usa el siguiente modelo para escribir una fracción equivalente a 6.

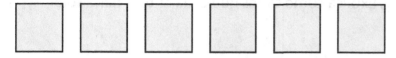

Solución ....

9 Haz un modelo para mostrar $\frac{5}{1} = 5$.

10 Oscar tiene 3 panes que aún no ha cortado. Usa una recta numérica para escribir los panes que tiene Oscar como una fracción. Muestra tu trabajo.

Solución ....

Practica escribir un número entero como una fracción con un denominador de 1

Estudia el Ejemplo, que muestra cómo escribir un número entero como una fracción con un denominador de 1. Luego resuelve los problemas 1 a 14.

EJEMPLO

Los espacios que hay entre los números enteros en esta recta numérica no están divididos en partes más pequeñas. Por lo tanto, cada entero tiene 1 sola parte.

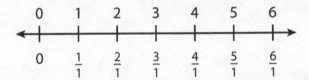

La recta numérica muestra que $\frac{3}{1}$ es igual a 3.

$\frac{3}{1}$ es una fracción para 3.

Escribe el número entero para cada fracción en los problemas 1 a 4.

1 $\frac{4}{1} =$ ....

2 $\frac{2}{1} =$ ....

3 $\frac{5}{1} =$ ....

4 $\frac{8}{1} =$ ....

Escribe una fracción con un denominador de 1 para cada número entero en los problemas 5 a 8.

5 $2 =$ ....

6 $5 =$ ....

7 $1 =$ ....

8 $7 =$ ....

Escribe el número entero para cada fracción en los problemas 9 y 10.

9 $\frac{9}{1} =$ ....

10 $\frac{10}{1} =$ ....

Escribe una fracción con un denominador de 1 para cada número entero en los problemas 11 y 12.

11 $12 =$ ....

12 $18 =$ ....

13 Explica cómo escribir un número entero como una fracción con un denominador de 1.

14 Bella dice que este modelo muestra 3 enteros. Dice que muestra que si se escribe el número entero 3 como una fracción, hay que escribir $3 = \frac{12}{4}$. ¿Cómo le puedes explicar a Bella que hay otras maneras de escribir 3 como una fracción?

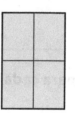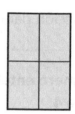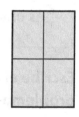

Vocabulario

numerador número que está encima de la línea de una fracción; dice cuántas partes iguales se describen.

denominador número que está debajo de la línea de una fracción; dice cuántas partes iguales hay en el entero.

Refina Hallar fracciones equivalentes

Completa el Ejemplo siguiente. Luego resuelve los problemas 1 a 9.

EJEMPLO

Caleb y Hannah compran dos melones que tienen el mismo tamaño. Caleb corta su melón en cuartos. Hannah corta su melón en octavos. Hannah come $\frac{4}{8}$ de su melón. Caleb come la misma cantidad de su melón. ¿Qué fracción de su melón come Caleb?

Mira cómo podrías mostrar tu trabajo usando un modelo.

Solución ....

El estudiante usó líneas continuas para mostrar cuartos. Ella usó líneas punteadas para mostrar cómo dividir los cuartos para formar octavos.

EN PAREJA
¿Cómo podrías resolver este problema usando una recta numérica?

APLÍCALO

1 Matt dice que $\frac{3}{3}$ es equivalente a 1. Elisa dice que $\frac{8}{8}$ es equivalente a 1. ¿Quién tiene razón? Muestra tu trabajo.

¿Cuántos tercios hay en 1 entero? ¿Cuántos octavos hay en 1 entero?

EN PAREJA
¿Cuál es otra fracción equivalente a 1?

Solución ....

2 Escribe dos fracciones equivalentes a 5. Muestra tu trabajo.

> Habrá 5 enteros en total. Piensa en cuántas partes habrá en cada entero.

Solución ....

> **EN PAREJA**
> ¿Cómo decidiste qué denominadores usar en tus fracciones?

3 Kaia comió $\frac{3}{6}$ de una banana. Zoie comió una cantidad equivalente. ¿Qué fracción muestra cuánto comió Zoie de la banana?

Ⓐ $\frac{1}{3}$

Ⓑ $\frac{2}{3}$

Ⓒ $\frac{5}{8}$

Ⓓ $\frac{1}{2}$

Landon eligió Ⓐ como la respuesta correcta. ¿Cómo obtuvo él esa respuesta?

> Halla $\frac{3}{6}$ en una recta numérica. ¿Cuál es otra fracción que nombra la misma ubicación?

> **EN PAREJA**
> ¿Tiene sentido la respuesta de Landon?

4 ¿Qué modelo muestra una fracción equivalente a $\frac{2}{6}$?

     Ⓐ   Ⓑ   Ⓒ   Ⓓ

5 Haz un modelo para hallar una fracción equivalente a $\frac{1}{4}$. Muestra tu trabajo.

$\frac{1}{4}$ es equivalente a ....

6 Mira el punto *P* en la recta numérica.

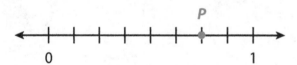

¿Representa el punto que está sobre cada recta numérica una fracción equivalente a la fracción que muestra el punto *P*?

	Sí	No
recta numérica 0 a 1	Ⓐ	Ⓑ
recta numérica 0 a 1	Ⓒ	Ⓓ
recta numérica 0 a 1	Ⓔ	Ⓕ

7 ¿Representa el punto que está en cada recta numérica un entero?

	Sí	No
(recta numérica: 0, $\frac{1}{1}$, $\frac{2}{1}$, $\frac{3}{1}$, $\frac{4}{1}$ — punto en $\frac{1}{1}$)	Ⓐ	Ⓑ
(recta numérica: 0, $\frac{1}{1}$, $\frac{2}{1}$, $\frac{3}{1}$, $\frac{4}{1}$ — punto en $\frac{4}{1}$)	Ⓒ	Ⓓ
(recta numérica: 0, $\frac{1}{4}$, $\frac{2}{4}$, $\frac{3}{4}$, 1 — punto en 1)	Ⓔ	Ⓕ
(recta numérica: 0, $\frac{1}{4}$, $\frac{2}{4}$, $\frac{3}{4}$, $\frac{4}{4}$ — punto en $\frac{4}{4}$)	Ⓖ	Ⓗ

8 Usa la recta numérica para hallar una fracción equivalente a 3. Muestra tu trabajo.

3 es equivalente a ....

9 DIARIO DE MATEMÁTICAS

Escribe dos fracciones equivalentes a 4 usando los denominadores 1 y 3. Usa una recta numérica para mostrar cómo hallaste tus respuestas.

✓ COMPRUEBA TU PROGRESO Vuelve al comienzo de la Unidad 4 y mira qué destrezas puedes marcar.

Comprende Comparación de fracciones

Estimada familia:

Esta semana su niño está explorando cómo comparar fracciones.

Cuando dos fracciones tienen el mismo denominador, el numerador indica cuál de las fracciones es mayor y cuál es menor.

Las siguientes fracciones están formadas a partir de la fracción unitaria $\frac{1}{6}$. Por lo tanto, la fracción con más partes en el numerador es mayor.

$\frac{4}{6}$ es mayor que $\frac{2}{6}$ porque 4 partes es más que 2 partes cuando todas las partes son del mismo tamaño.

$$\frac{2}{6} \qquad \frac{4}{6}$$

Si dos fracciones tienen el mismo numerador, entonces el denominador indica qué fracción es mayor.

Se comparan los denominadores de $\frac{1}{3}$ y $\frac{1}{8}$. Cuando algo se divide en 3 partes iguales, las partes son más grandes que si el objeto se divide en 8 partes iguales. Cuando hay menos partes, cada parte es mayor. Por lo tanto, $\frac{1}{3}$ es mayor que $\frac{1}{8}$.

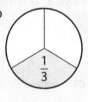
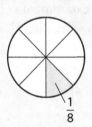

Esto también muestra que $\frac{2}{3}$ es mayor que $\frac{2}{8}$ ya que 2 partes grandes es más que 2 partes pequeñas.

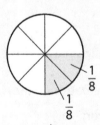

Invite a su niño a compartir lo que sabe sobre comparar fracciones haciendo juntos la siguiente actividad.

ACTIVIDAD COMPARAR FRACCIONES

Haga la siguiente actividad con su niño para ayudarlo a comprender cómo se comparan fracciones.

Materiales 2 vasos pequeños idénticos o jarras, tazas de medir de $\frac{1}{4}$, $\frac{1}{3}$ y $\frac{1}{2}$ tazas, agua de color

Use cantidades medidas de agua para comparar fracciones. Primero experimente con fracciones que tienen el mismo denominador, y usando solamente la taza de medir de $\frac{1}{4}$.

- Trabaje con su niño para verter $\frac{2}{4}$ de taza de agua de color en un vaso (llámelo Vaso A) y $\frac{3}{4}$ de taza en el otro vaso (llámelo Vaso B). Colóquelos uno junto al otro y compárelos. ¿Cuál es mayor: $\frac{2}{4}$ o $\frac{3}{4}$?

- Repita para comparar $\frac{2}{4}$ y $\frac{4}{4}$, $\frac{3}{4}$ y $\frac{4}{4}$, $\frac{2}{4}$ y $\frac{6}{4}$. Comente sobre cómo puede predecir cuál será mayor incluso antes de medir el agua.

Ahora experimente con fracciones que tienen denominadores diferentes pero el mismo numerador.

- Trabaje con su niño para verter $\frac{1}{3}$ de taza de agua de color en un vaso (llámelo Vaso A) y $\frac{1}{4}$ de taza en el otro vaso (llámelo Vaso B). Colóquelos uno junto al otro y compárelos. ¿Cuál es mayor: $\frac{1}{3}$ o $\frac{1}{4}$?

- Vacíe los vasos. Vierta $\frac{2}{3}$ de taza de agua en el Vaso A y $\frac{2}{4}$ de taza en el Vaso B. ¿Cuál es mayor: $\frac{2}{3}$ o $\frac{2}{4}$? Luego compare $\frac{3}{3}$ y $\frac{3}{4}$.

- ¿Qué patrón nota? ¿Cómo puede usar ese patrón para predecir cuál es mayor: $\frac{7}{3}$ o $\frac{7}{4}$?

- Continúe y experimente con otras medidas. Por ejemplo, use las tazas de medir para comparar $\frac{3}{2}$ y $\frac{3}{4}$, o compare $\frac{3}{2}$ y $\frac{1}{2}$. ¡A divertirse!

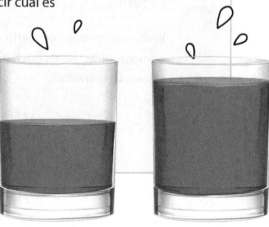

Vaso A   **Vaso B**

Explora Comparar fracciones

¿Cómo se comparan fracciones?

Objetivo de aprendizaje

• Comparar dos fracciones que tienen el mismo numerador o el mismo denominador al razonar sobre su tamaño. Reconocer que las comparaciones son válidas solo cuando las dos fracciones se refieren al mismo entero. Expresar los resultados de las comparaciones con los símbolos >, = o <, y justificar las conclusiones, por ejemplo, usando un modelo visual de fracciones.

EPM 1, 2, 3, 4, 5, 6, 7

HAZ UN MODELO

Completa los problemas de abajo.

1 **a.** Sombrea los modelos de la derecha para mostrar las fracciones $\frac{1}{4}$ y $\frac{2}{4}$.

b. Usa las fracciones $\frac{1}{4}$ y $\frac{2}{4}$ para completar la oración.

.... es mayor que ....

$\frac{1}{4}$ sombreado $\frac{2}{4}$ sombreados

2 Usa la recta numérica de la derecha para comparar $\frac{1}{4}$ y $\frac{2}{4}$.

a. ¿Qué fracción es mayor? ....

b. Cuando se comparan dos fracciones que tienen el mismo denominador, ¿cómo te indican los numeradores qué fracción es mayor? Explica.

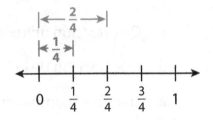

3 Compara las partes sombreadas de los siguientes modelos. ¿Puedes usar estos modelos para mostrar que la oración del problema 1b es verdadera? Explica.

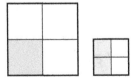

CONVERSA CON UN COMPAÑERO

• ¿Explicaron tu compañero y tú la respuesta al problema 2b de la misma manera?

• Creo que los enteros deben ser del mismo tamaño cuando se comparan fracciones porque . . .

HAZ UN MODELO

Completa los problemas de abajo.

4 **a.** ¿Qué modelo de la derecha tiene más partes? ....

b. ¿Qué modelo tiene partes más pequeñas? ....

c. Sombrea $\frac{1}{3}$ del modelo A y $\frac{1}{8}$ del modelo B.

d. Usa las fracciones $\frac{1}{3}$ y $\frac{1}{8}$ para completar la oración.

.... es mayor que ....

A   B

5 **a.** Rotula cada parte de cada modelo de la derecha con la fracción unitaria que representa.

b. Sombrea 3 partes de cada modelo. ¿Qué fracción muestra cada modelo?

C: .... D: ....

C

D

c. ¿Qué fracción unitaria de la Parte a es mayor? ....

d. ¿Qué fracción de la Parte b es mayor? ....

e. Cuando se comparan dos fracciones que tienen el mismo numerador, ¿cómo te indican los denominadores qué fracción es mayor? Explica.

CONVERSA CON UN COMPAÑERO

• ¿Explicaron tu compañero y tú la respuesta al problema 5e de la misma manera?

• Creo que la fracción unitaria menor tiene el denominador mayor porque . . .

6 REFLEXIONA

Explica cómo se comparan fracciones unitarias como $\frac{1}{3}$ y $\frac{1}{8}$.

....

....

....

Prepárate para comparar fracciones

1 Piensa en lo que sabes acerca de las fracciones. Llena cada recuadro. Usa palabras, números y dibujos. Muestra tantas ideas como puedas.

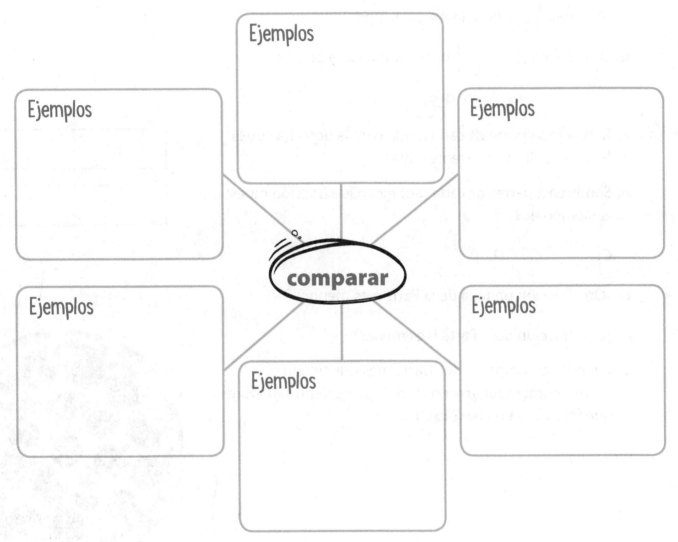

2 Sombrea los modelos para mostrar las fracciones $\frac{2}{6}$ y $\frac{4}{6}$.
Luego completa la oración para comparar las fracciones.

.... es menor que ....

$\frac{2}{6}$ sombreados $\frac{4}{6}$ sombreados

Resuelve.

3 **a.** ¿Qué modelo de la derecha tiene menos partes? ....

b. ¿Qué modelo tiene partes más grandes? ....

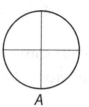

A   B

c. Sombrea $\frac{1}{4}$ del modelo A y $\frac{1}{6}$ del modelo B.

d. Usa las fracciones $\frac{1}{4}$ y $\frac{1}{6}$ para completar la oración.

.... es menor que ....

4 **a.** Rotula cada parte de cada modelo de la derecha con la fracción unitaria que representa.

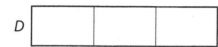

C

b. Sombrea 2 partes de cada modelo. ¿Qué fracción muestra cada modelo?

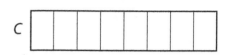

D

C: ....   D: ....

c. ¿Qué fracción unitaria de la Parte a es menor? ....

d. ¿Qué fracción de la Parte b es menor? ....

e. Cuando se comparan dos fracciones que tienen el mismo numerador, ¿cómo te indican los denominadores qué fracción es menor? Explica.

Desarrolla Comprender la comparación de fracciones

HAZ UN MODELO: MODELOS DE ÁREA

Prueba estos problemas.

1 Escribe la fracción sombreada debajo de cada modelo. Encierra en un círculo la fracción mayor.

a.

b.

....

2 Escribe la fracción sombreada debajo del primer modelo. Sombrea el segundo modelo para mostrar una fracción mayor. Escribe la fracción mayor.

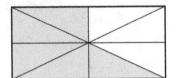 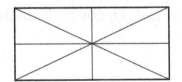

....

3 Escribe la fracción sombreada debajo del primer modelo. Divide y sombrea el segundo modelo para mostrar una fracción que sea menor que la primera fracción pero que tenga el mismo numerador. Escribe la fracción menor.

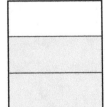 

....

CONVERSA CON UN COMPAÑERO

• ¿Cómo sabes que el modelo que dividiste y sombreaste en el problema 3 muestra una fracción menor?

• Creo que los modelos son una buena manera de comparar fracciones porque . . .

HAZ UN MODELO: RECTAS NUMÉRICAS

Usa las rectas numéricas para comparar fracciones.

4 Mira las fracciones en las rectas numéricas. Encierra en un círculo la fracción menor.

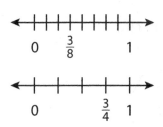

5 Mira las fracciones en las rectas numéricas. Encierra en un círculo la fracción mayor.

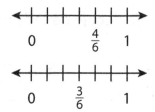

CONVERSA CON UN COMPAÑERO

- ¿Eligieron tu compañero y tú las mismas fracciones para los problemas 4 y 5?

- Creo que las rectas numéricas se pueden usar para comparar fracciones porque . . .

CONÉCTALO

Completa los problemas de abajo.

6 ¿En qué se parece comparar fracciones con modelos de área a comparar fracciones con rectas numéricas? ¿En qué es diferente?

7 ¿Qué fracción es menor: $\frac{5}{8}$ o $\frac{5}{6}$? ¿Cómo lo sabes?

Practica comparar fracciones

Estudia cómo se usan modelos en el Ejemplo para comparar fracciones.
Luego resuelve los problemas 1 a 8.

EJEMPLO

Los dos rectángulos tienen el mismo tamaño.

Si formas 8 partes iguales, las partes son más pequeñas que si formas 4 partes iguales.

$\frac{1}{8}$ es menor que $\frac{1}{4}$.

$\frac{1}{4}$ es mayor que $\frac{1}{8}$.

$\frac{1}{8}$

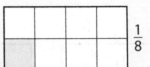
$\frac{1}{4}$

Escribe la fracción para las partes sombreadas en los problemas 1 a 3.
Encierra en un círculo la fracción *mayor*.

1
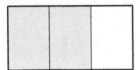

Fracciones: ....

2
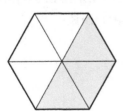 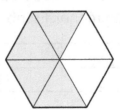

Fracciones: ....

3
 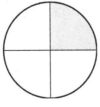

Fracciones: ....

Escribe la fracción para las partes sombreadas en los problemas 4 y 5.
Encierra en un círculo la fracción _menor_.

 4

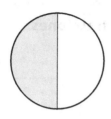 

Fracciones: ....

 5

 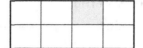

Fracciones: ....

6 Rotula las fracciones $\frac{4}{8}$ y $\frac{4}{6}$ en las rectas numéricas.

Luego encierra en un círculo la fracción _mayor_.

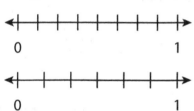

7 Escribe la fracción para el rectángulo sombreado. Luego sombrea el segundo rectángulo para mostrar una fracción menor. Escribe la fracción.

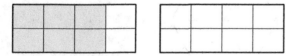

Fracciones: ....

8 Escribe una fracción menor que $\frac{1}{4}$ que tenga un numerador de 1.

Refina Ideas acerca de la comparación de fracciones

APLÍCALO
Completa estos problemas por tu cuenta.

1 CREA

Haz un modelo de área o una recta numérica para mostrar $\frac{5}{8}$. Explica cómo hallar una fracción menor que tenga el mismo denominador y da un ejemplo.

2 JUSTIFICA

Jace y Lianna hornean un pan cada una. Jace corta su pan en mitades y Lianna corta su pan en tercios, como se muestra. Jace dice que sus porciones muestran que $\frac{1}{2}$ es menor que $\frac{1}{3}$. Lianna dice que no. ¿Quién tiene razón? Explica.

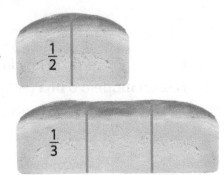

3 EXPLICA

Mario pinta $\frac{2}{6}$ de una pared de su dormitorio. Mei Lyn pinta $\frac{2}{4}$ de una pared de su dormitorio. Las dos paredes tienen el mismo tamaño. Explica cómo sabes quién pinta más de su pared.

EN PAREJA
Comenta con un compañero tus soluciones a estos tres problemas.

Usa lo que aprendiste para resolver el problema 4.

4 La Sra. Ericson prepara sándwiches para sus 4 hijos. Cada sándwich es del mismo tamaño. Luego del almuerzo, a cada niño le queda una fracción diferente de su sándwich. A Matt le queda $\frac{1}{4}$, a Elisa le quedan $\frac{3}{8}$, a Carl le quedan $\frac{3}{4}$ y a Riley le quedan $\frac{7}{8}$.

Parte A Usa la información de arriba para escribir un problema verbal acerca de la comparación de dos fracciones que tienen el mismo numerador.

Parte B Usa la información de arriba para escribir un problema verbal acerca de la comparación de dos fracciones que tienen el mismo denominador.

Parte C Encierra en un círculo uno de tus problemas para resolverlo. Haz un modelo o una recta numérica para ayudarte a hallar la respuesta.

Explica cómo podrías usar fracciones unitarias para resolver tu problema.

5 DIARIO DE MATEMÁTICAS

Elige dos fracciones para compararlas. Haz modelos para ayudarte a explicar cómo sabes qué fracción es mayor.

Usa símbolos para comparar fracciones

Estimada familia:

Esta semana su niño está aprendiendo a usar símbolos para comparar fracciones.

Para comparar fracciones pueden usarse los símbolos <, > o =.

< significa *es menor que*.   > significa *es mayor que*.

¿Qué símbolo podría usarse para comparar $\frac{4}{8}$ y $\frac{4}{6}$?

Usar modelos de área puede ayudar a comparar fracciones. Ambas fracciones deben representarse con enteros del mismo tamaño.

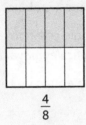
$\frac{4}{8}$

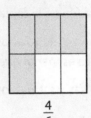
$\frac{4}{6}$

También pueden usarse rectas numéricas para comparar fracciones. De igual manera, se deben usar enteros del mismo tamaño.

La recta numérica de arriba está dividida en octavos y muestra $\frac{4}{8}$.

La recta numérica de abajo está dividida en sextos y muestra $\frac{4}{6}$.

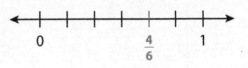

Ambos modelos muestran que $\frac{4}{8}$ es menor que $\frac{4}{6}$. Esto también significa que es mayor que $\frac{4}{8}$. Por lo tanto, se puede escribir la comparación con símbolos de dos maneras diferentes.

$$\frac{4}{8} < \frac{4}{6} \qquad y \qquad \frac{4}{6} > \frac{4}{8}$$

Invite a su niño a compartir lo que sabe sobre usar símbolos para comparar fracciones haciendo juntos la siguiente actividad.

ACTIVIDAD COMPARAR FRACCIONES CON SÍMBOLOS

Haga la siguiente actividad con su niño para ayudarlo a practicar el uso de símbolos para comparar fracciones.

Materiales las tarjetas numéricas de abajo, tijeras, 2 bolsas, la hoja de anotaciones de abajo

Haga practicar a su niño la comparación de fracciones con esta actividad.

- Recorte las tarjetas de abajo. Coloque las tarjetas numéricas en una bolsa y las tarjetas de Numerador y Denominador en la otra bolsa. Los jugadores se turnarán para jugar.

- El jugador 1 saca un número de una bolsa y una tarjeta de Numerador o Denominador de la otra bolsa.

- Ambos jugadores escriben una fracción a partir de esa información. Por ejemplo, si se obtiene un 4 y la tarjeta Numerador, ambos jugadores inventan una fracción con 4 como numerador. Escriba las fracciones en la misma fila en la tabla que se muestra abajo.

- Comente las fracciones con su niño y luego anote el símbolo correcto en la tabla para compararlas. Recuerde: < significa *es menor que* y > significa *es mayor que*.

- Regresen ambas tarjetas a las bolsas y saquen otras dos. Jueguen un total de cinco rondas.

Fracción del jugador 1	< o > o =	Fracción del jugador 2

1	2	3	4	6	8

Numerador	Denominador

Explora Usar símbolos para comparar fracciones

Antes aprendiste a comparar fracciones. En esta lección usarás los símbolos $<$, $>$ y $=$ para mostrar cómo comparar fracciones. Usa lo que sabes para tratar de resolver el siguiente problema.

Erica y Ethan tienen vasos del mismo tamaño. El vaso de Erica tiene $\frac{4}{6}$ de jugo. El vaso de Ethan tiene $\frac{5}{6}$ de jugo. Compara $\frac{4}{6}$ y $\frac{5}{6}$ usando $<$, $>$ o $=$. ¿Quién tiene más jugo?

Objetivo de aprendizaje

• Comparar dos fracciones que tienen el mismo numerador o el mismo denominador al razonar sobre su tamaño. Reconocer que las comparaciones son válidas solo cuando las dos fracciones se refieren al mismo entero. Expresar los resultados de las comparaciones con los símbolos $>$, $=$ o $<$, y justificar las conclusiones, por ejemplo, usando un modelo visual de fracciones.

EPM 1, 2, 3, 4, 5, 6, 7

PRUÉBALO

Herramientas matemáticas

• fichas de fracciones
• barras de fracciones
• modelos de fracciones
• rectas numéricas
• papel cuadriculado
• notas adhesivas

CONVERSA CON UN COMPAÑERO

Pregúntale: ¿Cómo empezaste a resolver el problema?

Dile: Comencé por . . .

CONÉCTALO

① REPASA

¿Quién tiene más jugo? ¿Cómo comparaste $\frac{4}{6}$ con $\frac{5}{6}$ para averiguarlo?

② SIGUE ADELANTE

Puedes usar los símbolos $<$, $>$ o $=$ para comparar fracciones de la misma manera en la que comparas números enteros. Recuerda que el símbolo se abre a la fracción mayor y señala la fracción menor.

fracción mayor $>$ fracción menor   y   fracción menor $<$ fracción mayor

Puedes usar palabras o un símbolo para comparar fracciones.

$<$ significa *menor que.* $>$ significa *mayor que.* $=$ significa *igual a.*

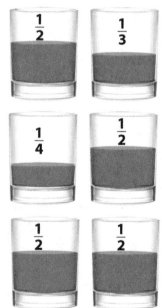

a. Usa palabras y un símbolo para comparar $\frac{1}{2}$ y $\frac{1}{3}$.

$\frac{1}{2}$ es .... $\frac{1}{3}$. $\frac{1}{2}$ ◯ $\frac{1}{3}$

palabras   **símbolo**

b. Usa palabras y un símbolo para comparar $\frac{1}{4}$ y $\frac{1}{2}$.

$\frac{1}{4}$ es .... $\frac{1}{2}$. $\frac{1}{4}$ ◯ $\frac{1}{2}$

palabras   **símbolo**

c. Usa palabras y un símbolo para comparar $\frac{1}{2}$ y $\frac{1}{2}$.

$\frac{1}{2}$ es .... $\frac{1}{2}$. $\frac{1}{2}$ ◯ $\frac{1}{2}$

palabras   **símbolo**

③ REFLEXIONA

¿Qué te ayuda a recordar qué significan los símbolos $>$ y $<$ cuando se comparan dos números?

....

....

Prepárate para usar símbolos para comparar fracciones

1 Piensa en lo que sabes acerca de las fracciones. Llena cada recuadro. Usa palabras, números y dibujos. Muestra tantas ideas como puedas.

Palabra	En mis propias palabras	Ejemplo
mayor que		
menor que		
igual a		
>		
<		
=		

2 Usa palabras y un símbolo para comparar $\frac{1}{4}$ y $\frac{1}{3}$.

$\frac{1}{4}$ es .... $\frac{1}{3}$.

palabras

$\frac{1}{4}$ ◯ $\frac{1}{3}$

símbolo

$\frac{1}{4}$

$\frac{1}{3}$

3 Resuelve el problema. Muestra tu trabajo.

Kim y Armen compran cada una un sándwich del mismo tamaño.

Kim comió $\frac{6}{8}$ de su sándwich. Armen comió $\frac{5}{8}$ de su sándwich.

Compara $\frac{6}{8}$ y $\frac{5}{8}$ usando <, > o =. ¿Quién comió más?

Solución ....

4 Comprueba tu respuesta. Muestra tu trabajo.

Desarrolla Comparar fracciones usando símbolos

Lee el siguiente problema y trata de resolverlo.

Compara $\frac{4}{8}$ y $\frac{4}{6}$ usando <, > o =.

PRUÉBALO

Herramientas matemáticas

- fichas de fracciones
- barras de fracciones
- círculos de fracciones
- modelos de fracciones
- rectas numéricas
- papel cuadriculado
- notas adhesivas

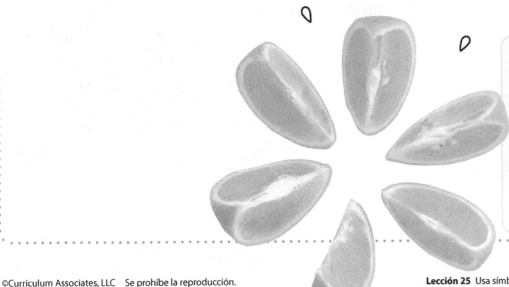

CONVERSA CON UN COMPAÑERO

Pregúntale: ¿Por qué elegiste esa estrategia?

Dile: La estrategia que usé para hallar la respuesta fue...

Explora diferentes maneras de entender cómo comparar fracciones.

> **Compara $\frac{4}{8}$ y $\frac{4}{6}$ usando $<$, $>$ o $=$.**

HAZ UN DIBUJO

Puedes usar modelos de área para ayudarte a comparar fracciones.

Los modelos muestran enteros del mismo tamaño.

Este modelo muestra $\frac{4}{8}$.

Este modelo muestra $\frac{4}{6}$.

HAZ UN MODELO

También puedes usar rectas numéricas para ayudarte a comparar fracciones.

Las rectas numéricas también muestran enteros del mismo tamaño.

Esta recta numérica muestra $\frac{4}{8}$.

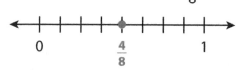

> Esta recta numérica está dividida en octavos.

Esta recta numérica muestra $\frac{4}{6}$.

> Esta recta numérica está dividida en sextos.

CONÉCTALO

Ahora vas a usar el problema de la página anterior para ayudarte a entender cómo comparar fracciones usando símbolos.

1 Mira los modelos en Haz un dibujo. ¿Cómo puedes usarlos para comparar $\frac{4}{8}$ y $\frac{4}{6}$?

2 Mira las rectas numéricas en Haz un modelo. ¿Cómo puedes usarlas para comparar las dos fracciones?

3 Compara con palabras: 4 octavos es .... que 4 sextos.

Compara con un símbolo. $\frac{4}{8}$ ◯ $\frac{4}{6}$

4 Ahora cambia el orden de las fracciones.

Compara con palabras: 4 sextos es .... que 4 octavos.

Compara con un símbolo. $\frac{4}{6}$ ◯ $\frac{4}{8}$

5 Explica cómo usar símbolos para comparar dos fracciones.

6 REFLEXIONA

Repasa Pruébalo, las estrategias de tus compañeros, Haz un dibujo y Haz un modelo. ¿Qué modelos o estrategias prefieres para usar símbolos para comparar fracciones? Explica.

APLÍCALO

Usa lo que acabas de aprender para resolver estos problemas.

7 Compara cada par de fracciones usando <, > o =. Sombrea los modelos para ayudarte.

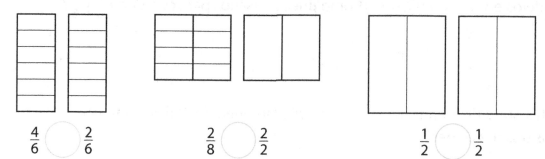

$\frac{4}{6}$ ◯ $\frac{2}{6}$

$\frac{2}{8}$ ◯ $\frac{2}{2}$

$\frac{1}{2}$ ◯ $\frac{1}{2}$

8 Compara cada par de fracciones usando <, > o =. Usa las rectas numéricas para ayudarte.

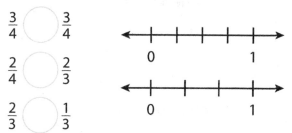

$\frac{3}{4}$ ◯ $\frac{3}{4}$

$\frac{2}{4}$ ◯ $\frac{2}{3}$

$\frac{2}{3}$ ◯ $\frac{1}{3}$

0   1

0   1

9 Manny y Sarah leen el mismo libro. Manny leyó $\frac{5}{8}$ del libro.

Sarah leyó $\frac{5}{6}$ del libro. Compara $\frac{5}{8}$ y $\frac{5}{6}$ usando <, > o =.

¿Quién leyó más? Muestra tu trabajo.

Solución ....

Practica comparar fracciones usando símbolos

Estudia el Ejemplo, que muestra cómo usar símbolos para comparar fracciones. Luego resuelve los problemas 1 a 16.

EJEMPLO

Compara las fracciones $\frac{3}{6}$ y $\frac{3}{8}$.

$\frac{3}{6}$ es mayor que $\frac{3}{8}$.

$\frac{3}{6} > \frac{3}{8}$

$\frac{3}{8}$ es menor que $\frac{3}{6}$.

$\frac{3}{8} < \frac{3}{6}$

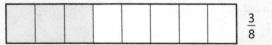

$\frac{3}{6}$

$\frac{3}{8}$

Usa los modelos para comparar las fracciones en los problemas 1 y 2. Escribe <, > o =.

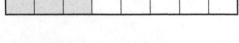

$\frac{3}{8} \bigcirc \frac{6}{8}$

 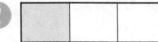

$\frac{1}{3} \bigcirc \frac{1}{2}$

Usa las rectas numéricas para comparar las fracciones en los problemas 3 a 5. Escribe <, > o =.

 $\frac{3}{8} \bigcirc \frac{5}{8}$

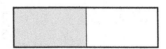

0   1

 $\frac{4}{6} \bigcirc \frac{1}{6}$

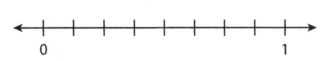

0   1

 $\frac{5}{8} \bigcirc \frac{5}{6}$

Escribe la fracción que se muestra en los problemas 6 a 10.

6   ....

7   ....

8   ....

9   ....

10   ....

Compara las fracciones de los problemas 11 a 14. Puedes usar los modelos de arriba para ayudarte. Escribe <, > o =.

11    $\frac{2}{4}$ ◯ $\frac{2}{6}$ 12 $\frac{2}{3}$ ◯ $\frac{2}{6}$

$\frac{2}{6}$ ◯ $\frac{2}{4}$ $\frac{2}{6}$ ◯ $\frac{2}{3}$

13    $\frac{3}{4}$ ◯ $\frac{3}{8}$ 14 $\frac{2}{4}$ ◯ $\frac{3}{4}$

$\frac{3}{8}$ ◯ $\frac{3}{4}$ $\frac{3}{4}$ ◯ $\frac{2}{4}$

Escribe una fracción para hacer verdadero el enunciado en los problemas 15 y 16.

15    $\frac{6}{8}$ > ....

16    $\frac{1}{4}$ > ....

Refina Usar símbolos para comparar fracciones

Completa el Ejemplo siguiente. Luego resuelve los problemas 1 a 8.

EJEMPLO

Su y Anthony viven a la misma distancia de la escuela. Su recorre en bicicleta $\frac{3}{4}$ del camino a la escuela en cinco minutos. Anthony camina $\frac{1}{4}$ del camino a la escuela en cinco minutos. Compara las fracciones usando <, > o =. ¿Quién recorre la mayor distancia en esos cinco minutos?

Mira cómo podrías mostrar tu trabajo usando una recta numérica.

Solución ....

> Las fracciones tienen el mismo denominador; por lo tanto, es fácil compararlas en la misma recta numérica.

EN PAREJA
¿Cómo hallas el número mayor en una recta numérica?

APLÍCALO

1 Julia y Mackenzie tienen el mismo número de problemas de tarea. Julia terminó $\frac{1}{3}$ de su tarea. Mackenzie terminó $\frac{1}{2}$ de su tarea. Compara las fracciones usando <, > o =. ¿Qué estudiante hizo menos tarea?

Muestra tu trabajo.

> ¿En qué debes pensar cuando comparas fracciones que tienen distintos denominadores?

EN PAREJA
¿Cómo supiste qué fracción era menor?

Solución ....

2 Deon y Rob tienen cada uno paquetes de galletas saladas del mismo tamaño. Deon comió $\frac{3}{6}$ de sus galletas. Rob comió $\frac{3}{4}$ de sus galletas. Compara las fracciones usando $<$, $>$ o $=$. ¿Quién comió más galletas saladas? Muestra tu trabajo.

Creo que hacer un modelo podría ser de ayuda. Asegúrate de que los enteros sean del mismo tamaño.

EN PAREJA
¿Qué fracción está formada por fracciones unitarias más grandes? ¿Cómo lo sabes?

Solución ....

3 ¿Qué fracción va en el espacio en blanco para hacer verdadera la comparación?

$$\frac{5}{8} < \underline{\quad\quad}$$

Ⓐ $\frac{5}{8}$

Ⓑ $\frac{4}{8}$

Ⓒ $\frac{6}{8}$

Ⓓ $\frac{1}{8}$

¿Es $\frac{5}{8}$ menor que o mayor que la fracción que va en el espacio en blanco?

Blake eligió Ⓐ como la respuesta correcta. ¿Cómo obtuvo él esa respuesta?

EN PAREJA
¿Tiene sentido la respuesta de Blake?

4 ¿Qué fracción va en el espacio en blanco para hacer verdadera la comparación?

_____ $< \frac{2}{8}$

Ⓐ $\frac{2}{4}$

Ⓑ $\frac{4}{8}$

Ⓒ $\frac{1}{8}$

Ⓓ $\frac{2}{6}$

5 ¿Qué modelo puedes usar para comparar las fracciones $\frac{1}{3}$ y $\frac{1}{6}$?

Ⓐ

Ⓑ

Ⓒ

Ⓓ

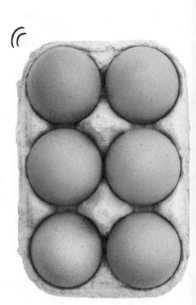

6 Escribe un número de la siguiente lista en cada recuadro para que el enunciado sea verdadero.

6   8   1   3   4

7 Mira la siguiente comparación.

$$\underline{\hspace{2cm}} < \frac{3}{4}$$

Tyrone escribe una fracción en el espacio en blanco para que la comparación sea verdadera. Su fracción tiene un 3 en el numerador. ¿Qué fracción puede haber escrito Tyrone? Muestra tu trabajo.

Solución ....

8 DIARIO DE MATEMÁTICAS

Tran y Noah reciben cada uno la misma cantidad de plastilina en la clase de arte. Tran divide su plastilina en 3 trozos iguales. Él usa 2 trozos para hacer un tazón. Noah divide su plastilina en 4 trozos iguales. Él también usa 2 trozos para hacer un tazón. Tran dice que a él le sobra más plastilina que a Noah. ¿Tiene razón Tran? Explica.

☑ COMPRUEBA TU PROGRESO Vuelve al comienzo de la Unidad 4 y mira qué destrezas puedes marcar.

Mide la longitud y representa datos en diagramas de puntos

Estimada familia:

Esta semana su niño está aprendiendo a medir la longitud en fracciones de una pulgada y marcar los datos en diagramas de puntos.

Un diagrama de puntos es una gráfica que tiene marcas a lo largo de una recta numérica para mostrar cuántos objetos hay en diferentes categorías. En esta lección, usar categorías basadas en medidas fraccionarias de longitud permite a su niño practicar con una regla, leer y escribir números mixtos como $2\frac{1}{2}$ y practicar la ubicación de fracciones en una recta numérica.

La siguiente tabla muestra la longitud de las alas de algunas libélulas. Las alas se midieron al $\frac{1}{4}$ de pulgada más cercana.

Longitud de las alas de las libélulas									
Ala	A	B	C	D	E	F	G	H	I
Longitud (pulg.)	$\frac{3}{4}$	$\frac{1}{2}$	$1\frac{1}{4}$	$1\frac{1}{2}$	$1\frac{1}{4}$	$\frac{3}{4}$	1	$1\frac{1}{4}$	1

Los datos de la tabla de arriba se muestran en el diagrama de puntos de abajo. Hay una "X" por cada longitud de ala registrada. El diagrama de puntos clasifica los datos y hace que sea más fácil visualizar información como qué longitud de ala es la más común.

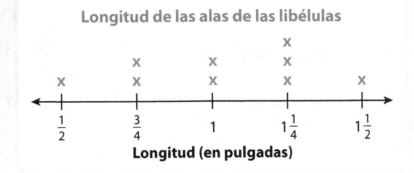

Longitud de las alas de las libélulas

Longitud (en pulgadas)

Invite a su niño a compartir lo que sabe sobre medir la longitud y marcar datos en diagramas de puntos haciendo juntos la siguiente actividad.

ACTIVIDAD HACER UN DIAGRAMA DE PUNTOS

Haga la siguiente actividad con su niño para ayudarlo a medir longitudes y hacer diagramas de puntos.

Materiales 6 instrumentos de escritura diferentes (lápices, bolígrafos, marcadores o crayones), y una regla de pulgadas

Trabaje con su niño para medir objetos y hacer un diagrama de puntos para mostrar los datos.

- Midan cada instrumento de escritura a la $\frac{1}{2}$ pulgada más cercana y anoten los datos en la tabla de abajo.

Longitud de los instrumentos de escritura						
Instrumento de escritura	A	B	C	D	E	F
Longitud (a la $\frac{1}{2}$ pulgada más cercana)						

- Ahora trabajen juntos para hacer un diagrama de puntos.
  - Usen la longitud más corta para rotular el extremo izquierdo de la recta numérica. Luego rotulen el resto de la recta numérica hasta llegar a la longitud más larga.
  - Pongan una "X" sobre cada marca para mostrar la longitud de cada instrumento de escritura.

Longitud de los instrumentos de escritura

Longitud (en pulgadas)

- Comente con su niño preguntas como:
  - *¿Cómo habría cambiado el diagrama de puntos si hubieras medido solo crayones? ¿Las X probablemente hubieran estado más cerca o más dispersas?*
  - *¿Qué habría pasado si solo hubieras medido lápices?*

¡Puedes comprobar tu razonamiento si lo pruebas!

Explora Medir la longitud y representar los datos en diagramas de puntos

Antes hiciste pictografías y dibujaste gráficas de barras. En esta lección medirás objetos y harás diagramas de puntos. Usa lo que sabes para tratar de resolver el siguiente problema.

Usa una regla para medir cada lápiz a la pulgada más cercana. Haz un diagrama de puntos con tus datos.

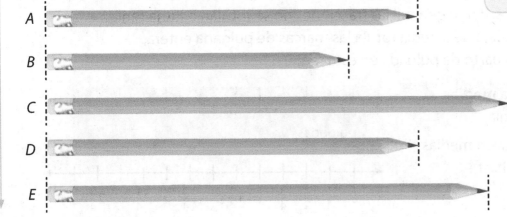

A

B

C

D

E

PRUÉBALO

Herramientas matemáticas

• regla de pulgadas
• rectas numéricas
• papel cuadriculado de 1 pulgada

CONVERSA CON UN COMPAÑERO

Pregúntale: ¿Cómo empezaste a resolver el problema?

Dile: Comencé por . . .

CONÉCTALO

1 REPASA

Explica cómo hallaste la medida a la pulgada más cercana de cada lápiz para hacer tu diagrama de puntos.

2 SIGUE ADELANTE

Puedes medir objetos a la pulgada entera, a la media pulgada y al cuarto de pulgada más cercanos. Por lo general las fracciones no se rotulan en una regla. La recta numérica debajo de la regla rotula las marcas de pulgada entera, media pulgada y un cuarto de pulgada en esta regla.

a. Puedes contar de a **medias pulgadas** en la regla.

Completa la cuenta en medias pulgadas desde 0 hasta 3 pulgadas abajo.

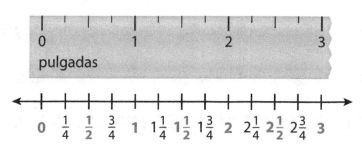

0 pulgadas, $\frac{1}{2}$ de pulgada, 1 pulgada, ... pulgadas, ... pulgadas, ... pulgadas,

.... pulgadas

b. ¿Cuáles son las longitudes de los lápices rojo y azul a la media pulgada más cercana?

Rojo: ....

Azul: ....

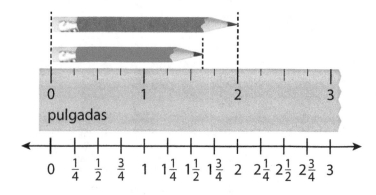

3 REFLEXIONA

Explica cómo hallaste las longitudes de los lápices a la media pulgada más cercana en el problema 2b.

Prepárate para medir la longitud y representar datos en diagramas de puntos

1 Piensa en lo que sabes acerca de las medidas. Llena cada recuadro. Usa palabras, números y dibujos. Muestra tantas ideas como puedas.

Palabra	En mis propias palabras	Ejemplo
pulgada más cercana		
$\frac{1}{2}$ de pulgada más cercano		
$\frac{1}{4}$ de pulgada más cercano		

2 ¿Cuál es la longitud del crayón que se mide a la pulgada más cercana, al $\frac{1}{2}$ de pulgada más cercano y al $\frac{1}{4}$ de pulgada más cercano?

Pulgada más cercana: .... pulgadas

$\frac{1}{2}$ de pulgada más cercano: .... pulgadas

$\frac{1}{4}$ de pulgada más cercano: .... pulgadas

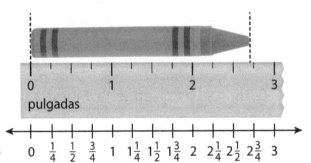

③ Resuelve el problema. Muestra tu trabajo.

Usa una regla para medir cada pez a la pulgada más cercana. Haz un diagrama de puntos con tus datos.

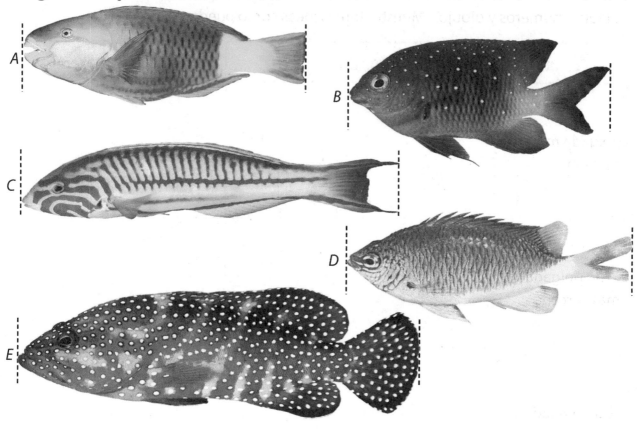

④ Comprueba tu respuesta. Muestra tu trabajo.

Desarrolla Medir longitudes

Lee el siguiente problema y trata de resolverlo.

> **Brian mide las longitudes de 6 lombrices. Se muestran las lombrices que reunió. Describe cómo podría hallar la longitud de cada lombriz al $\frac{1}{4}$ de pulgada más cercano.**

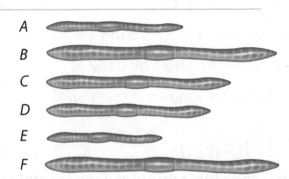

A
B
C
D
E
F

PRUÉBALO

Herramientas matemáticas
- regla de pulgadas
- rectas numéricas
- papel cuadriculado de 1 pulgada

CONVERSA CON UN COMPAÑERO

Pregúntale: ¿Cómo empezaste a resolver el problema?

Dile: Comencé por . . .

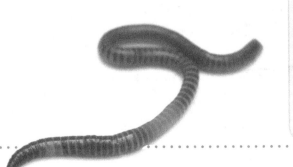

Explora diferentes maneras de entender cómo medir longitudes.

Brian mide las longitudes de 6 lombrices. Se muestran las lombrices que reunió. Describe cómo podría hallar la longitud de cada lombriz al $\frac{1}{4}$ de pulgada más cercano.

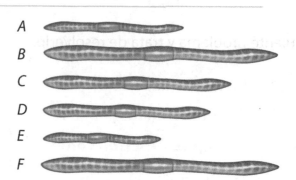

A

B

C

D

E

F

HAZ UN MODELO

Puedes mirar cada regla de pulgadas para ayudarte a entender las marcas de un cuarto de pulgada.

Esta regla muestra marcas de un cuarto de pulgada.

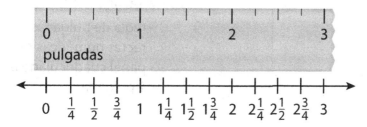

HAZ UN DIBUJO

Puedes usar una regla de pulgadas para ayudarte a entender cómo medir una longitud al $\frac{1}{4}$ de pulgada más cercano.

Puedes medir al $\frac{1}{4}$ de pulgada más cercano.

Alinea el **extremo izquierdo** de cada lombriz con el **0** en la regla.
Busca la **marca** en la regla que está **más cercana al otro extremo** de la lombriz.

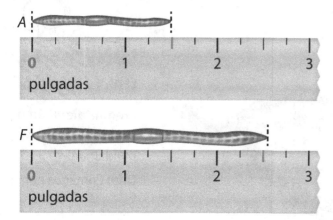

CONÉCTALO

Ahora vas a usar el problema de la página anterior para ayudarte a entender cómo medir longitudes.

1 Completa la oración para describir cómo se comienza a medir la lombriz *A*.

Alineo el extremo izquierdo de la lombriz con el .... en la regla.

2 Mira Haz un dibujo. ¿Es la lombriz *A* más larga o más corta que 1 pulgada? ....

3 La marca en la regla que está más cerca del otro extremo de la lombriz *A*

representa .... pulgadas.

4 La lombriz *A* mide .... pulgadas de largo. Escribe esta longitud en la siguiente tabla.

5 Usa una regla para medir las lombrices *B*, *C*, *D*, *E* y *F* al $\frac{1}{4}$ de pulgada más cercano. Escribe tus medidas en la tabla.

Longitudes de las lombrices						
Lombriz	*A*	*B*	*C*	*D*	*E*	*F*
Longitud (en pulgadas)						

6 Explica cómo hallaste la longitud de la lombriz *F*.

7 REFLEXIONA

Repasa Pruébalo, las estrategias de tus compañeros, Haz un modelo y Haz un dibujo. ¿Qué modelos o estrategias prefieres para medir longitudes? Explica.

....

....

....

....

APLÍCALO

Usa lo que acabas de aprender para resolver estos problemas.

8 Brian encuentra dos lombrices más. Las rotula *G* y *H*. ¿Cuáles son las longitudes de las lombrices al $\frac{1}{4}$ de pulgada más cercano? Muestra tu trabajo.

G    *H*

La lombriz *G* mide .... pulgadas de largo.

La lombriz *H* mide .... pulgadas de largo.

9 Usa una regla para trazar una línea que mida $4\frac{1}{4}$ pulgadas de largo.

10 ¿Qué líneas miden 3 pulgadas de largo cuando se las mide al $\frac{1}{2}$ de pulgada más cercano?

Ⓐ _____

Ⓑ _____

Ⓒ _____

Ⓓ _____

Ⓔ _____

Practica medir longitudes

Estudia el Ejemplo, que muestra cómo medir longitudes. Luego resuelve los problemas 1 a 8.

EJEMPLO

¿Cuál es la longitud del crayón más largo?

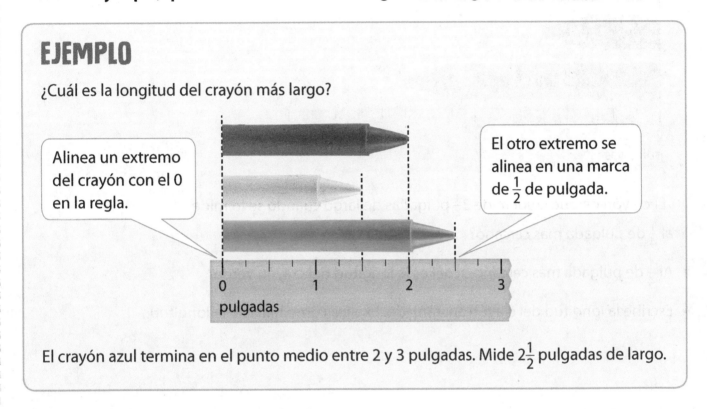

Alinea un extremo del crayón con el 0 en la regla.

El otro extremo se alinea en una marca de $\frac{1}{2}$ de pulgada.

El crayón azul termina en el punto medio entre 2 y 3 pulgadas. Mide $2\frac{1}{2}$ pulgadas de largo.

1. ¿La punta del crayón amarillo de arriba está entre qué dos pulgadas en la regla?

   Al $\frac{1}{2}$ de pulgada más cercano, ¿cuál es la longitud del crayón amarillo?

2. ¿Cuál es la longitud del crayón rojo de arriba? Di cómo lo sabes.

3. Al $\frac{1}{2}$ de pulgada más cercano, ¿cuál es la longitud de este crayón verde?

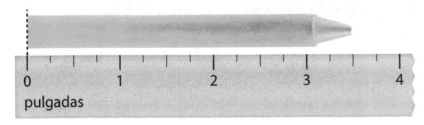

Usa el siguiente dibujo para resolver los problemas 4 a 6.

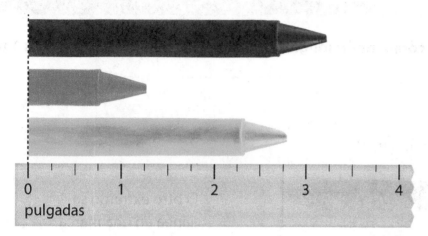

4 ¿El crayón de qué color mide $3\frac{1}{4}$ pulgadas de largo cuando se lo mide al $\frac{1}{4}$ de pulgada más cercano?

5 Al $\frac{1}{4}$ de pulgada más cercano, ¿cuál es la longitud del crayón verde?

6 Escribe la longitud del crayón anaranjado. Explica cómo hallaste la longitud.

Usa el siguiente dibujo para resolver los problemas 7 y 8.

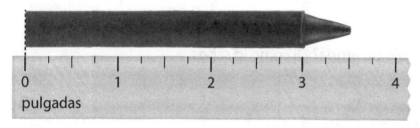

7 Al $\frac{1}{2}$ de pulgada más cercano, ¿cuál es la longitud del crayón marrón?

8 ¿Puedes también medir el crayón marrón al $\frac{1}{4}$ de pulgada más cercano? Explica.

Desarrolla Representar los datos en un diagrama de puntos

Lee el siguiente problema y trata de resolverlo.

> **Brian anota las longitudes de sus lombrices en la siguiente tabla. Haz un diagrama de puntos usando los datos de las medidas de Brian.**

Longitudes de las lombrices								
Lombriz	A	B	C	D	E	F	G	H
Longitud (en pulgadas)	$1\frac{1}{2}$	$2\frac{1}{2}$	2	$1\frac{3}{4}$	$1\frac{1}{4}$	$2\frac{1}{2}$	$1\frac{1}{2}$	$2\frac{3}{4}$

PRUÉBALO

Herramientas matemáticas
- regla de pulgadas
- rectas numéricas
- papel cuadriculado de 1 pulgada

CONVERSA CON UN COMPAÑERO

Pregúntale: ¿Cómo empezaste a resolver el problema?

Dile: Comencé por . . .

Explora diferentes maneras de entender cómo representar datos.

> **Brian anota las longitudes de sus lombrices en la siguiente tabla. Haz un diagrama de puntos usando los datos de las medidas de Brian.**

Longitudes de las lombrices								
Lombriz	A	B	C	D	E	F	G	H
Longitud (en pulgadas)	$1\frac{1}{2}$	$2\frac{1}{2}$	2	$1\frac{3}{4}$	$1\frac{1}{4}$	$2\frac{1}{2}$	$1\frac{1}{2}$	$2\frac{3}{4}$

HAZ UN MODELO

Puedes usar una recta numérica para ayudarte a empezar a hacer el diagrama de puntos.

Se miden las lombrices al $\frac{1}{4}$ de pulgada más cercano. Por lo tanto, la escala es de $\frac{1}{4}$ de pulgada.

HAZ UN MODELO

Puedes usar modelos para ayudarte a representar los datos.

La tabla muestra cuántas lombrices hay de cada longitud.

Cada X representa 1 lombriz.

$1\frac{1}{4}$ pulgadas	X
$1\frac{1}{2}$ pulgadas	XX
$1\frac{3}{4}$ pulgadas	X
2 pulgadas	X
$2\frac{1}{4}$ pulgadas	
$2\frac{1}{2}$ pulgadas	XX
$2\frac{3}{4}$ pulgadas	X

CONÉCTALO

Ahora vas a usar el problema de la página anterior para ayudarte a entender cómo representar datos en un diagrama de puntos.

1 Completa los números de la escala en el siguiente diagrama de puntos.

Usa una escala de $\frac{1}{4}$ de pulgada.

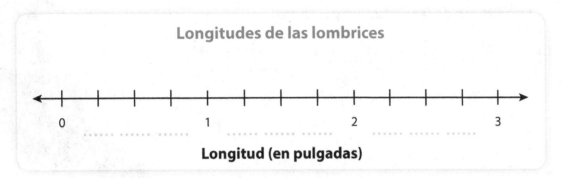

Longitudes de las lombrices

Longitud (en pulgadas)

2 ¿Cuántas lombrices midió Brian? ....

3 Habrá una X en el diagrama de puntos para cada lombriz. Si dos o más lombrices tienen la misma longitud, las X se pondrán una sobre la otra. ¿Cuántas X habrá en el diagrama de puntos? ....

4 ¿Cuántas lombrices miden $1\frac{1}{4}$ pulgadas de largo? .... Pon una X sobre $1\frac{1}{4}$.

5 ¿Cuántas lombrices miden $1\frac{1}{2}$ pulgadas de largo? .... Pon una X sobre $1\frac{1}{2}$.

6 Completa el diagrama de puntos. Asegúrate de poner una X para la medida de cada lombriz.

7 Explica qué representa cada X en el diagrama de puntos.

8 REFLEXIONA

Repasa Pruébalo, las estrategias de tus compañeros y los Haz un modelo. ¿Qué modelos o estrategias prefieres para representar datos en un diagrama de puntos? Explica.

APLÍCALO

Usa lo que acabas de aprender para resolver estos problemas.

9 Completa el diagrama de puntos sobre las longitudes de las cintas. Comienza por elegir una escala y rotula los números de la escala. Pon un título al diagrama de puntos.

Longitudes de las cintas (en pulgadas)							
3	$2\frac{1}{2}$	$2\frac{1}{2}$	$3\frac{1}{2}$	$4\frac{1}{2}$	3	$4\frac{1}{2}$	$4\frac{1}{2}$

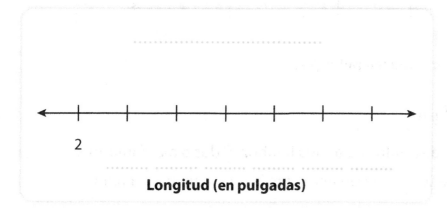

2

Longitud (en pulgadas)

10 Haz un diagrama de puntos con los datos de la tabla. Comienza por elegir una escala y rotula los números de la escala. Pon un título al diagrama de puntos.

Longitudes de las plantas								
Planta	A	B	C	D	E	F	G	H
Longitud (en pulgadas)	$6\frac{1}{4}$	$6\frac{1}{2}$	$5\frac{3}{4}$	$6\frac{1}{2}$	$6\frac{3}{4}$	$6\frac{1}{4}$	$5\frac{3}{4}$	$6\frac{1}{2}$

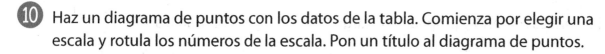

Longitud (en pulgadas)

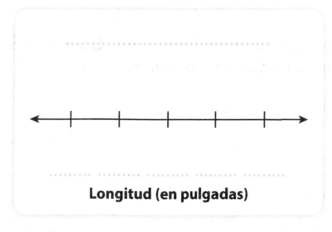

Practica representar datos en un diagrama de puntos

Estudia el Ejemplo, que muestra cómo representar datos en un diagrama de puntos. Luego resuelve los problemas 1 a 3.

EJEMPLO

Denise trabaja en una tienda de velas. Ella mide y agrupa las velas según su longitud. ¿Cómo puede Denise hacer un diagrama de puntos para las longitudes de estas velas?

Vela	A	B	C	D	E	F	G	H
Longitud (en pulgadas)	$2\frac{1}{4}$	$2\frac{3}{4}$	$2\frac{3}{4}$	$3\frac{1}{2}$	$3\frac{1}{2}$	3	$2\frac{1}{4}$	$3\frac{1}{2}$

Haz una recta numérica y marca las longitudes de las velas con X.

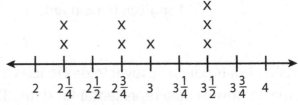

Longitudes de las velas

Longitud (en pulgadas)

1 Denise mide más velas y anota las longitudes en esta lista. Haz un diagrama de puntos para representar los datos de la lista. Usa una X para representar cada vela. Pon un título a tu diagrama de puntos.

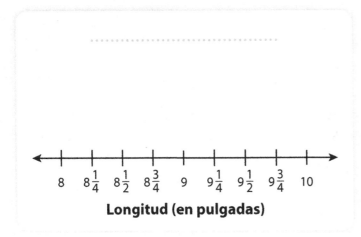

Longitud (en pulgadas)

Longitudes de las velas (en pulgadas)	
$8\frac{1}{2}$	$9\frac{1}{2}$
$8\frac{3}{4}$	10
$9\frac{1}{2}$	$8\frac{1}{2}$
10	10
$8\frac{1}{2}$	$8\frac{3}{4}$
10	$8\frac{1}{2}$
$9\frac{1}{2}$	10

2 Algunos estudiantes se miden el largo de su cabello entre sí. Anotan los datos en esta lista. Haz un diagrama de puntos para representar los datos.

Longitudes del cabello (en pulgadas)							
$5\frac{1}{2}$	$5\frac{1}{4}$	$6\frac{1}{2}$	$5\frac{3}{4}$	$6\frac{1}{2}$	$5\frac{3}{4}$	7	7
$7\frac{1}{2}$	$5\frac{1}{4}$	$6\frac{1}{4}$	$7\frac{1}{4}$	$5\frac{3}{4}$	$7\frac{1}{4}$	$6\frac{1}{2}$	$7\frac{3}{4}$

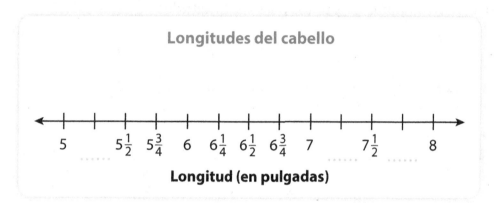

Longitudes del cabello

Longitud (en pulgadas)

3 Jama reúne hojas para un proyecto de ciencias. Él anota las longitudes en esta lista. Haz un diagrama de puntos para representar los datos. Pon un título a tu diagrama de puntos.

Longitudes de las hojas (en pulgadas)							
$3\frac{1}{4}$	$5\frac{1}{4}$	$4\frac{1}{4}$	$5\frac{1}{4}$	$4\frac{1}{2}$	$5\frac{1}{2}$	$3\frac{1}{4}$	$3\frac{1}{2}$
$5\frac{3}{4}$	$5\frac{1}{2}$	$4\frac{3}{4}$	$5\frac{1}{2}$	$5\frac{3}{4}$	$3\frac{1}{2}$	$5\frac{1}{2}$	$3\frac{3}{4}$

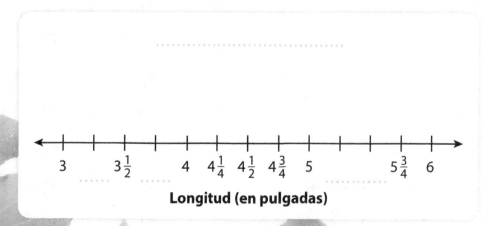

Longitud (en pulgadas)

Refina Medir la longitud y representar datos en diagramas de puntos

Completa el Ejemplo siguiente. Luego resuelve los problemas 1 a 7.

EJEMPLO

En el club de ciencias, Lily mide las longitudes de las alas de una libélula. Ella hace un diagrama de puntos para sus datos, que se muestra abajo.

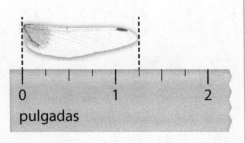

0   1   2

pulgadas

Luego busca un ala más de la libélula.

Mide el ala al $\frac{1}{4}$ de pulgada más cercano.

Agrega las últimas medidas al diagrama de puntos de Lily. ¿Qué longitud de ala aparece con más frecuencia en el diagrama de puntos?

Mira cómo podrías mostrar tu trabajo usando el diagrama de puntos de Lily.

Longitudes de las alas de la libélula

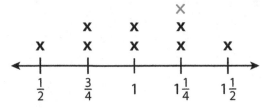

$\frac{1}{2}$ $\frac{3}{4}$ 1 $1\frac{1}{4}$ $1\frac{1}{2}$

Longitud (en pulgadas)

Solución ....

El estudiante alinea un extremo del ala de la libélula con el 0 en la regla. Luego busca la marca en la regla que está más cerca del otro extremo del ala.

EN PAREJA

¿Cómo sabes qué longitud de ala aparece con más frecuencia?

APLÍCALO

¿Qué me indica cada X?

1 Usa el diagrama de puntos del Ejemplo. ¿Cuántas alas de libélula miden menos de 1 pulgada?

EN PAREJA

Describe cómo hallaste la respuesta.

Solución ....

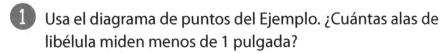

2 Lee mide la longitud de las manos de sus amigos. Él anota las medidas en la siguiente tabla. Completa el diagrama de puntos de abajo usando los datos de Lee.

Longitud de las manos						
Amigo	Arty	Leo	Meg	Olivia	Ruby	Zain
Longitud (en pulgadas)	$5\frac{1}{2}$	5	$4\frac{3}{4}$	$5\frac{1}{2}$	5	$5\frac{3}{4}$

Puedo hallar la medida más corta y la medida más larga para ayudarme a rotular mis primeros y mis últimos números de la escala.

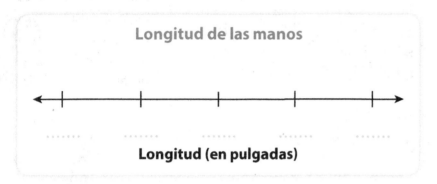

Longitud de las manos

Longitud (en pulgadas)

EN PAREJA
¿Hay una X sobre cada número en tu diagrama de puntos? ¿Por qué sí o por qué no?

3 Usa una regla para medir el marcador. A la media pulgada más cercana, ¿cuánto mide el marcador?

¿Cómo puedo hallar la media pulgada más cercana en la regla?

Ⓐ 3 pulgadas

Ⓑ $3\frac{1}{4}$ pulgadas

Ⓒ $3\frac{1}{2}$ pulgadas

Ⓓ $4\frac{1}{2}$ pulgadas

Vicky eligió Ⓑ como la respuesta correcta. ¿Cómo obtuvo ella esa respuesta?

EN PAREJA
¿Responde la pregunta la opción de Vicky?

Usa el diagrama de puntos para resolver los problemas 4 y 5.

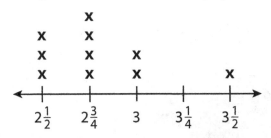

Longitudes de aviones de juguete

Longitud (en pulgadas)

④ ¿Qué conjunto de datos se usó para hacer el diagrama de puntos?
Todos los datos están en pulgadas.

Ⓐ

| $2\frac{1}{2}$ | $2\frac{3}{4}$ | 3 | $3\frac{1}{4}$ | $3\frac{1}{2}$ |

Ⓑ

| 3 | 4 | 2 | 0 | 1 |

Ⓒ

| $2\frac{1}{2}$ | $2\frac{1}{2}$ | $2\frac{1}{2}$ | $2\frac{3}{4}$ | $2\frac{3}{4}$ |
| $2\frac{3}{4}$ | $2\frac{3}{4}$ | 3 | 3 | $3\frac{1}{2}$ |

Ⓓ

| 3 | 4 | 2 | 0 | 1 |
| $2\frac{1}{2}$ | $2\frac{3}{4}$ | 3 | $3\frac{1}{4}$ | $3\frac{1}{2}$ |

⑤ Di si cada enunciado es *Verdadero* o *Falso*.

	Verdadero	Falso
Se muestran cuatro aviones en el diagrama de puntos.	Ⓐ	Ⓑ
Ninguno de los aviones mide $3\frac{1}{4}$ pulgadas.	Ⓒ	Ⓓ
Todos los aviones miden más de 2 pulgadas.	Ⓔ	Ⓕ
Tres aviones miden exactamente $2\frac{3}{4}$ pulgadas.	Ⓖ	Ⓗ

6 Usa una regla de pulgadas para este problema.

Longitudes de las hojas					
Hoja	A	B	C	D	E
Longitud (en pulgadas)					

Parte A Mide las hojas al cuarto de pulgada más cercano. Anota las longitudes en la tabla.

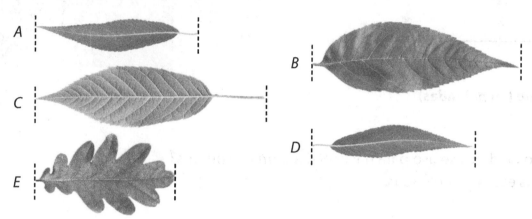

Parte B Completa el diagrama de puntos usando las medidas que anotaste en la tabla.

Longitudes de las hojas

Longitud (en pulgadas)

7 DIARIO DE MATEMÁTICAS

Nia y Kyle hacen un diagrama de puntos para las medidas en pulgadas $3\frac{1}{2}$, 2, $2\frac{1}{4}$, 2, $2\frac{3}{4}$, 3 y $2\frac{3}{4}$. Nia dice que la recta numérica podría comenzar en 0 y terminar en 4. Kyle dice que podría comenzar en 2 y terminar en $3\frac{1}{2}$. ¿Quién tiene razón? Explica.

☑ COMPRUEBA TU PROGRESO Vuelve al comienzo de la Unidad 4 y mira qué destrezas puedes marcar.

Reflexión

En esta unidad aprendiste a . . .

Destreza	Lección
Usar una fracción para mostrar partes iguales de un entero, por ejemplo: cuando un entero tiene 4 partes iguales, cada parte es $\frac{1}{4}$ del entero.	20, 21
Usar una recta numérica para mostrar fracciones, y hallar una fracción en una recta numérica.	21
Comprender que las fracciones equivalentes muestran la misma cantidad y nombran el mismo punto en un recta numérica.	22
Hallar fracciones equivalentes, por ejemplo: fracciones equivalentes a $\frac{1}{2}$ incluidas $\frac{2}{4}$, $\frac{3}{6}$ y $\frac{4}{8}$.	23
Escribir números enteros como fracciones, por ejemplo: $5 = \frac{5}{1}$ o $\frac{10}{2}$.	23
Comparar fracciones que tienen el mismo numerador o el mismo denominador, incluido el uso de $<$, $>$ y $=$, por ejemplo: $\frac{1}{3} > \frac{1}{8}$ y $\frac{4}{6} < \frac{5}{6}$.	24, 25
Medir la longitud al $\frac{1}{2}$ o $\frac{1}{4}$ de pulgada más cercano y mostrar datos en un diagrama de puntos.	26

Piensa en lo que has aprendido.

Usa palabras, números y dibujos.

1. Un tema que podría usar en mi vida diaria es .... porque . . .

2. Lo más difícil que aprendí a hacer es .... porque . . .

3. Debo seguir trabajando en . . .

Usa fracciones

Estudia un problema y su solución

EPM 1 Entender problemas y perseverar en resolverlos.

Lee este problema sobre fracciones. Luego estudia cómo G.O. resolvió el problema.

El sendero de 8 millas

G.O. corre en El sendero de 8 millas. En el centro de visitantes, encuentra el plan de diseño del sendero.

Plan de diseño del sendero

- Plantar árboles a lo largo del sendero en cada fracción de una milla.

- Usar una fracción unitaria mayor que $\frac{1}{8}$ pero menor que $\frac{1}{2}$.

G.O. quiere hallar cuántos árboles se plantarán.

- Nombra una fracción que sea mayor que $\frac{1}{8}$ pero menor que $\frac{1}{2}$.

- Haz una recta numérica del 0 al 8.

- Divide las secciones entre los números enteros para mostrar tus fracciones.

- Rotula cada marca con un número entero o una fracción.

- Cuenta todas las marcas del 0 al 8. Di cuántos árboles se plantarán.

Lee la solución que aparece en la página siguiente. Luego mira la lista de chequeo de abajo. Marca las partes de la solución que corresponden a la lista.

✓ LISTA DE CHEQUEO PARA LA SOLUCIÓN DE PROBLEMAS

- ☐ Di lo que se sabe.
- ☐ Di lo que pide el problema.
- ☐ Muestra todo tu trabajo.
- ☐ Muestra que la solución tiene sentido.

a. Haz un círculo alrededor de lo que se sabe.

b. Subraya las cosas que hace falta averiguar.

c. Encierra en un cuadro lo que se hace para resolver el problema.

d. Pon una marca ✓ junto a la parte que muestra que la solución tiene sentido.

LA SOLUCIÓN DE G.O.

Hola, soy G.O. Así fue como resolví este problema.

- **Primero, debo hallar una fracción que sea mayor que $\frac{1}{8}$ pero menor que $\frac{1}{2}$.**

Creo que $\frac{1}{3}$ funcionará. Puedo hacer modelos del mismo tamaño para comprobarlo.

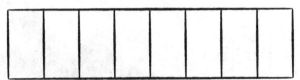 octavos

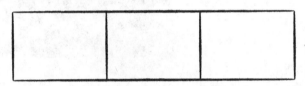 tercios

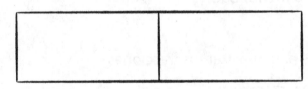 medios

El denominador en $\frac{1}{3}$ me dice que hay 3 partes iguales.

Las partes de $\frac{1}{3}$ son más grandes que las partes de $\frac{1}{8}$.

Las partes de $\frac{1}{3}$ son más pequeñas que las partes de $\frac{1}{2}$.

Por lo tanto, $\frac{1}{3} > \frac{1}{8}$ y $\frac{1}{3} < \frac{1}{2}$.

- **Ahora puedo hacer una recta numérica.**

Elegí tercios, así que dividiré cada sección entre los números enteros en tres partes iguales.

La recta numérica llega hasta 8 porque el sendero mide 8 millas de largo.

$0 \quad \frac{1}{3} \quad \frac{2}{3} \quad 1 \quad \frac{4}{3} \quad \frac{5}{3} \quad 2 \quad \frac{7}{3} \quad \frac{8}{3} \quad 3 \quad \frac{10}{3} \quad \frac{11}{3} \quad 4 \quad \frac{13}{3} \quad \frac{14}{3} \quad 5 \quad \frac{16}{3} \quad \frac{17}{3} \quad 6 \quad \frac{19}{3} \quad \frac{20}{3} \quad 7 \quad \frac{22}{3} \quad \frac{23}{3} \quad 8$

- **Comienzo en el 0 y cuento las marcas.**

Hay 25 marcas. Por lo tanto, se plantarán 25 árboles.

Prueba otro método

Hay muchas maneras de resolver problemas. Piensa en cómo podrías resolver el problema de "El sendero de 8 millas" de una manera distinta.

El sendero de 8 millas

G.O. corre en El sendero de 8 millas. En el centro de visitantes, encuentra el plan de diseño del sendero.

Plan de diseño del sendero

- Plantar árboles a lo largo del sendero en cada fracción de una milla.

- Usar una fracción unitaria mayor que $\frac{1}{8}$ pero menor que $\frac{1}{2}$.

G.O. quiere hallar cuántos árboles se plantarán.

- Nombra una fracción que sea mayor que $\frac{1}{8}$ pero menor que $\frac{1}{2}$.

- Haz una recta numérica del 0 al 8.

- Divide las secciones entre los números enteros para mostrar tus fracciones.

- Rotula cada marca con un número entero o una fracción.

- Cuenta todas las marcas del 0 al 8. Di cuántos árboles se plantarán.

PLANEA

Contesta las siguientes preguntas para empezar a pensar en un plan.

A. ¿Cuáles son algunas fracciones unitarias mayores que $\frac{1}{8}$?

B. ¿Cuál de estas fracciones son menores que $\frac{1}{2}$?

RESUELVE

Halla una solución distinta al problema de "El sendero de 8 millas". Muestra todo tu trabajo en una hoja de papel aparte.

Tal vez quieras usar las sugerencias de abajo para empezar.

SUGERENCIAS PARA RESOLVER PROBLEMAS ◄

● **Modelos**

✓ LISTA DE CHEQUEO PARA LA SOLUCIÓN DE PROBLEMAS

Asegúrate de . . .
- ☐ decir lo que se sabe.
- ☐ decir lo que pide el problema.
- ☐ mostrar todo tu trabajo.
- ☐ mostrar que la solución tiene sentido.

● **Banco de palabras**

fracción	numerador	menor que
partes iguales	denominador	mayor que

● **Oraciones modelo**

• _____ es mayor que _____

• El denominador me dice que _____

REFLEXIONA

Usa las prácticas matemáticas A medida que vayas resolviendo el problema, comenta las siguientes preguntas con un compañero.

• **Usa la estructura** ¿Cómo puedes usar los denominadores de las fracciones unitarias para compararlas?

• **Razona matemáticamente** ¿Cómo puedes pensar en partes iguales para hallar una fracción unitaria que sea mayor o menor que otra fracción unitaria?

Comenta modelos y estrategias

Lee el problema. Escribe una solución en una hoja de papel aparte.
Recuerda que puede haber muchas maneras de resolver un problema.

Jardines de flores

G.O. ayuda a plantar flores cerca de El sendero de 8 millas. Plantará dos jardines de flores en el centro de visitantes. Los jardines tienen forma de círculo.

Estos son los diseños.

Jardín de flores 1

- Dividir el círculo en partes iguales. Formar 2, 3 o 4 partes.

- Usar un color de flor diferente en cada parte.

Posible diagrama para el jardín 1

Jardín de flores 2

- Dividir el círculo en partes iguales. Formar 6 u 8 partes.

- Usar el mismo color de flores que en el jardín 1.

- La fracción del jardín 2 que tenga cada color de flor debería ser equivalente al jardín 1.

Posible diagrama para el jardín 2

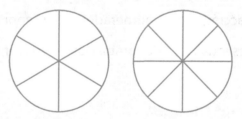

¿Qué dos círculos puede usar G.O. para hacer un diagrama de los jardines?

PLANEA Y RESUELVE

Halla una solución al problema de los "Jardines de flores".

Sigue las instrucciones del diseño.

• Elige dos círculos que puedan usarse para mostrar fracciones equivalentes.

• Colorea los círculos y rotula las secciones con los nombres de los colores.

• Escribe un par de fracciones equivalentes. Di cómo sabes que son equivalentes.

Tal vez quieras usar las sugerencias de abajo para empezar.

SUGERENCIAS PARA RESOLVER PROBLEMAS

● **Preguntas**

   • ¿Cuántas partes iguales se muestran en los círculos?

   • ¿Cuáles son algunas maneras distintas de emparejar los círculos para mostrar fracciones equivalentes?

● **Banco de palabras**

fracciones equivalentes	parte	tamaño
partes iguales	entero	igual

☑ LISTA DE CHEQUEO PARA LA SOLUCIÓN DE PROBLEMAS

Asegúrate de . . .

☐ decir lo que se sabe.

☐ decir lo que pide el problema.

☐ mostrar todo tu trabajo.

☐ mostrar que la solución tiene sentido.

REFLEXIONA

Usa las prácticas matemáticas A medida que vayas resolviendo el problema, comenta las siguientes preguntas con un compañero.

• **Construye un argumento** ¿Cuáles son maneras distintas de probar que dos fracciones son equivalentes?

• **Usa modelos** ¿Cómo puedes usar los diagramas para ayudarte a resolver el problema?

Persevera por tu cuenta

Lee el problema. Escribe una solución en una hoja de papel aparte.

Bebederos

G.O. habla con un trabajador de El sendero de 8 millas. El trabajador planea dónde colocar nuevos bebederos. Esto es lo que dice el trabajador.

- Habrá 4, 6 u 8 bebederos.
- El sendero estará dividido en secciones iguales.
- Se colocará un bebedero en el centro de cada sección.

¿Dónde deberían colocarse los bebederos?

RESUELVE

Ayuda a G.O. a hallar las ubicaciones para los bebederos.

- Decide cuántos bebederos usar.
- Haz un diagrama rectangular del sendero.
- Divide el rectángulo en partes iguales. Haz el mismo número de partes que bebederos.
- Escribe una fracción que nombre cada parte.
- Marca con un punto dónde estará cada bebedero.

REFLEXIONA

Usa las prácticas matemáticas Cuando termines, elige una de las siguientes preguntas y coméntala con un compañero.

- **Usa herramientas** ¿Qué herramientas usaste para hacer las partes iguales en el diagrama? Di cómo usaste las herramientas.

- **Sé preciso** ¿Qué muestra el diagrama? Descríbeselo a tu compañero. Usa fracciones, números enteros y unidades de medición para describirlo.

Carteles para el sendero

G.O. tiene una idea para colocar carteles a lo largo de El sendero de 8 millas. Un cartel colocado en la marca de cada milla le indicará a las personas qué fracción de todo el sendero han completado.

Los carteles se ven como estos. El rectángulo estará sombreado para mostrar la fracción. Los recuadros que no están sombreados son para el número de milla y la fracción de todo el sendero.

¿Cómo se verá el cartel completo?

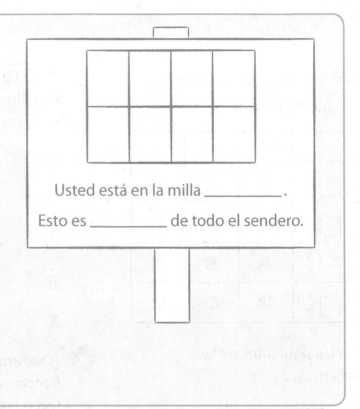

Usted está en la milla _____.

Esto es _____ de todo el sendero.

RESUELVE

Ayuda a G.O. a hacer los carteles.

• Elige cuatro números de milla a lo largo de El sendero de 8 millas.

• Haz un cartel para cada marca de milla que elegiste.

• Sombrea el rectángulo y escribe números en los recuadros que no están sombreados.

REFLEXIONA

Usa las prácticas matemáticas Cuando termines, elige una de las siguientes preguntas y coméntala con un compañero.

• **Usa modelos** Mira los modelos sombreados que hiciste. ¿Cómo se relaciona cada modelo con las palabras y los números del cartel?

• **Razona con números** ¿Qué denominadores usaste en tus carteles? ¿Por qué?

Repaso de la unidad

1 Elige >, < o = para comparar cada par de fracciones.

	>	<	=
$\frac{5}{8} \square \frac{1}{8}$	Ⓐ	Ⓑ	Ⓒ
$\frac{1}{6} \square \frac{1}{2}$	Ⓓ	Ⓔ	Ⓕ
$\frac{3}{4} \square \frac{3}{6}$	Ⓖ	Ⓗ	Ⓘ
$\frac{4}{8} \square \frac{1}{2}$	Ⓙ	Ⓚ	Ⓛ

2 Mira las siguientes rectas numéricas.

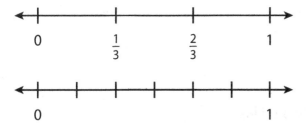

Decide si cada enunciado es verdadero.
Elige *Verdadero* o *Falso* para cada enunciado.

	Verdadero	**Falso**
$\frac{0}{3} = \frac{0}{6}$	Ⓐ	Ⓑ
$\frac{1}{3} = \frac{1}{6}$	Ⓒ	Ⓓ
$\frac{2}{3} = \frac{4}{6}$	Ⓔ	Ⓕ
$\frac{3}{3} = \frac{3}{6}$	Ⓖ	Ⓗ

3 ¿Qué fracciones son equivalentes a 2? Elige todas las respuestas correctas.

Ⓐ $\frac{1}{2}$

Ⓑ $\frac{2}{1}$

Ⓒ $\frac{2}{2}$

Ⓓ $\frac{4}{2}$

Ⓔ $\frac{2}{4}$

4 ¿Qué enunciados acerca de las fracciones son verdaderos? Elige todas las respuestas correctas.

Ⓐ Dos fracciones pueden ser equivalentes si tienen diferentes denominadores.

Ⓑ Una fracción que tiene el mismo número en el numerador y el denominador es igual a 1.

Ⓒ Una fracción que tiene el número 1 en el denominador se llama fracción unitaria.

Ⓓ Todas las fracciones son menores que 1.

Ⓔ Todas las fracciones describen partes iguales de un entero.

5 Usa las fracciones del recuadro para rotular los puntos en la recta numérica.

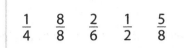

$$\frac{1}{4} \quad \frac{8}{8} \quad \frac{2}{6} \quad \frac{1}{2} \quad \frac{5}{8}$$

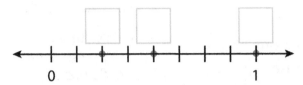

0   1

6 En la tabla se muestran las longitudes de diez cuerdas.

Longitud (en pulg.)	4	$4\frac{1}{4}$	$4\frac{1}{4}$	$4\frac{3}{4}$	$4\frac{1}{2}$	$4\frac{1}{4}$	$4\frac{1}{4}$	$4\frac{1}{2}$	$4\frac{3}{4}$	5

Parte A Haz un diagrama de puntos para mostrar las longitudes de las cuerdas.

Parte B Escribe dos enunciados para describir los datos del diagrama de puntos.

....

....

....

Prueba de rendimiento

Contesta las preguntas y muestra todo tu trabajo en una hoja de papel aparte.

La dueña de la pizzería del vecindario, Itsa Pizza, quiere que hagas diagramas para mostrar las diferentes combinaciones de ingredientes de 6 pizzas. Cada diagrama debe mostrar una pizza rectangular cortada en 8 porciones del mismo tamaño. Ella quiere que cada pizza esté completamente cubierta con ingredientes, sin que haya superposiciones.

Fajita	$\frac{1}{2}$ pimientos, $\frac{1}{2}$ cebolla
De lujo	$\frac{1}{8}$ champiñones, $\frac{3}{8}$ aceitunas, $\frac{1}{4}$ brócoli, $\frac{1}{4}$ pimientos
Superbrócoli	$\frac{5}{8}$ brócoli, $\frac{1}{8}$ cebolla, $\frac{1}{8}$ espinaca
Pizza Oliva	$\frac{2}{4}$ tomate, $\frac{1}{4}$ aceitunas
Gran champiñón	$\frac{1}{4}$ espinaca, $\frac{4}{8}$ champiñones, $\frac{2}{4}$ tomate
Hawaiana verde	$\frac{3}{4}$ cebolla, $\frac{3}{3}$ piña, $\frac{1}{4}$ brócoli

Usa papel cuadriculado para hacer diagramas de cada pizza que se describe arriba. Si los ingredientes no cubren por completo la pizza, agrega un nuevo ingrediente o cambia las cantidades de los ingredientes que se muestran. Si las instrucciones enumeran muchos ingredientes, cambia las cantidades de los ingredientes para que funcione.

Este es un ejemplo de la pizza Fajita:

P	P	P	P
C	C	C	C

P = pimiento
C = cebolla

REFLEXIONA

Usa las prácticas matemáticas Cuando termines, escoge una de estas preguntas y contéstala.

• **Realizar modelos** ¿Cómo decidiste cuánto de la pizza cubrir con cada ingrediente?

• **Razona matemáticamente** ¿Cuáles son las diferentes fracciones en la lista que muestran media pizza?

Dibuja o escribe para dar un ejemplo de cada término. Luego dibuja o escribe para mostrar otras palabras de matemáticas de la unidad.

denominador número que está debajo de la línea en una fracción que dice cuántas partes iguales hay en el entero.

Mi ejemplo

fracción número que nombra partes iguales de un entero. Una fracción nombra un punto en una recta numérica.

Mi ejemplo

fracción unitaria fracción cuyo numerador es 1. Otras fracciones se construyen a partir de fracciones unitarias.

Mi ejemplo

fracciones equivalentes dos o más fracciones diferentes que nombran la misma parte de un entero y el mismo punto en una recta numérica.

Mi ejemplo

numerador número que está encima de la línea en una fracción que dice cuántas partes iguales se describen.

Mi ejemplo

número mixto número con una parte entera y una parte fraccionaria.

Mi ejemplo

Mi palabra: _____

_____

_____

Mi ejemplo

Mi palabra: _____

_____

_____

Mi ejemplo

Mi palabra: _____

_____

_____

Mi ejemplo

Mi palabra: _____

_____

_____

Mi ejemplo

Mi palabra: _____

_____

_____

Mi ejemplo

Mi palabra: _____

_____

_____

Mi ejemplo

☑ COMPRUEBA TU PROGRESO

Antes de comenzar esta unidad, marca las destrezas que ya conoces. Al terminar cada lección, comprueba si puedes marcar otras.

Puedo . . .	Antes	Después
Decir y escribir la hora al minuto más cercano en relojes digitales y en relojes que tienen manecillas, y resolver problemas que tratan sobre el tiempo.	☐	☐
Estimar el volumen líquido y resolver problemas que tratan sobre el volumen líquido.	☐	☐
Estimar la masa y resolver problemas que tratan sobre la masa.	☐	☐

Amplía tu vocabulario

Vocabulario matemático

Dibuja el minutero y el horario para mostrar la hora escrita al lado de cada uno. Luego escribe actividades para hacer en cada una de esas horas e indica si son actividades de a. m. o p. m.

Hora	Mis actividades	a. m. o p. m.
2:35		
8:25		
11:45		
5:15		

Vocabulario académico

Pon una marca junto a las palabras académicas que ya conoces. Luego usa las palabras para completar las oraciones.

☐ replantear   ☐ anotar   ☐ varias   ☐ por lo general

1 Hay .... estrategias que te ayudan a decir la hora rápidamente, y contar salteado de cinco en cinco es una de ellas.

2 ...., las tazas se usan para medir líquidos en recetas de cocina.

3 Cuando .... la hora, presto mucha atención a la posición en la que están el horario y el minutero en el reloj.

4 Puedo .... lo que dije si no lo entiendes la primera vez.

Estimada familia:

Esta semana su niño está aprendiendo a leer el reloj para decir la hora al minuto más cercano y a resolver problemas relacionados con el tiempo transcurrido.

Para leer la hora al minuto más cercano, primero debe hallar la hora: como la manecilla corta ha pasado el 3 y todavía no llegó al 4, la hora en este reloj es 3.

Luego, para hallar los minutos después de la hora, se comienza en el 12 y se cuenta de 5 en 5 por cada número (1, 2, 3, etc.) hasta el número que está justo antes del minutero (7). El número 7 marca 35 minutos después de la hora. Luego se cuentan las 4 marcas pequeñas que están después del 7 hasta la ubicación exacta del minutero, hasta llegar a 39. La hora es 3:39.

El **tiempo transcurrido** es la cantidad de tiempo que ha pasado entre una hora inicial y una hora final. Esta es una manera en la que se puede hallar el tiempo transcurrido.

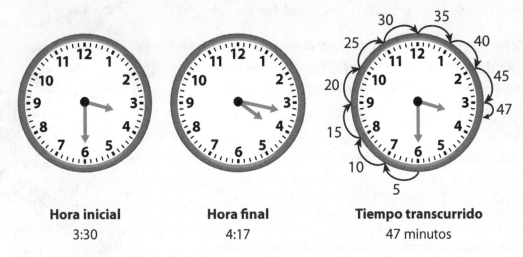

Hora inicial	Hora final	Tiempo transcurrido
3:30	4:17	47 minutos

Invite a su niño a compartir lo que sabe sobre decir la hora y hallar el tiempo transcurrido haciendo juntos la siguiente actividad.

ACTIVIDAD RESOLVER PROBLEMAS SOBRE TIEMPO

Haga la siguiente actividad con su niño para practicar cómo hallar el tiempo transcurrido.

Trabaje con su niño para resolver problemas de la vida real sobre el tiempo transcurrido. Hable con su niño sobre las actividades que les gusta hacer juntos y cuánto tiempo les toman.

Luego invente problemas en los que se conoce la hora inicial y cuánto tiempo duraron las actividades (el tiempo transcurrido). Hablen sobre cómo hallar la hora final. Comenten cómo usar un reloj o una recta numérica (como la que se muestra) como ayuda para hallar la hora final. Por ejemplo:

1. *Donna comenzó su lección de natación a las 12:30. Pasó 5 minutos calentando. Durante 10 minutos practicó la respiración en el agua y durante 15 minutos trabajó en su estilo libre. ¿A qué hora terminó su lección?*

Luego, invente problemas en los que se conoce cuánto tiempo duraron las actividades (el tiempo transcurrido) y la hora final, pero se necesita hallar la hora inicial. Por ejemplo:

2. *Se necesitan 25 minutos para cocinar la cena y luego se debe dejar enfriar por 5 minutos. ¿A qué hora se debería poner la cena en el horno si se quiere cenar a las 6:30?*

Por último, invente problemas en los que se conoce la hora inicial y la hora final. Halle cuánto tiempo duró la actividad (el tiempo transcurrido). Por ejemplo:

Tick
Tick

3. *Usted salió del trabajo a las 6:25 y llegó a casa a las 7:05. ¿Cuánto tiempo le tomó llegar a casa?*

Lo ideal sería si pudiera reconocer oportunidades durante la semana en las que usted mismo se encuentre resolviendo problemas de tiempo. Comparta estos problemas con su niño para que practique con situaciones reales de la vida diaria.

Respuestas: **1.** 1:00; **2.** 6:00; **3.** 40 minutos

Explora Trabajar con el tiempo

En esta lección aprenderás a decir la hora al minuto más cercano y a resolver problemas de tiempo transcurrido. Usa lo que sabes para tratar de resolver el siguiente problema.

Lily comienza a leer un libro después de desayunar a la hora que se muestra en el reloj. ¿Qué hora muestra el reloj?

PRUÉBALO

Herramientas matemáticas

• fichas
• pizarras
• esferas de reloj
• notas adhesivas

CONVERSA CON UN COMPAÑERO

Pregúntale: ¿Estás de acuerdo conmigo? ¿Por qué sí o por qué no?

Dile: Un modelo que usé fue . . . Me ayudó a . . .

CONÉCTALO

1 REPASA

Explica cómo puedes hallar la hora en el reloj de la página anterior.

2 SIGUE ADELANTE

El tiempo se suele indicar con a. m. y p. m., como en "Ted se fue a dormir a las 8:25 p. m.". Se escribe a. m. para las horas desde la medianoche hasta antes del mediodía y p. m. para las horas desde el mediodía hasta antes de la medianoche.

a. Escribe tu respuesta al problema de la página anterior usando a. m. o p. m. Explica tu elección.

Inicio   Fin

b. El **tiempo transcurrido** es el tiempo que ha pasado entre el momento de inicio y el fin. Mira estos relojes.

¿Cuál es la hora de inicio? ....

¿Cuál es la hora de finalización? ....

c. Una manera en la que podrías hallar el tiempo transcurrido en la Parte b es contar de cinco en cinco en el reloj de inicio:

5, ..., ..., ..., ..., ...

d. ¿Cuál es el tiempo transcurrido en la Parte b? ....

3 REFLEXIONA

A veces los relojes tienen marcas gruesas y finas en lugar de números. Explica cómo decir la hora que muestra este reloj.

....

....

....

....

Prepárate para trabajar con el tiempo

1. Piensa en lo que sabes acerca del tiempo. Llena cada recuadro. Usa palabras, números y dibujos. Muestra tantas ideas como puedas.

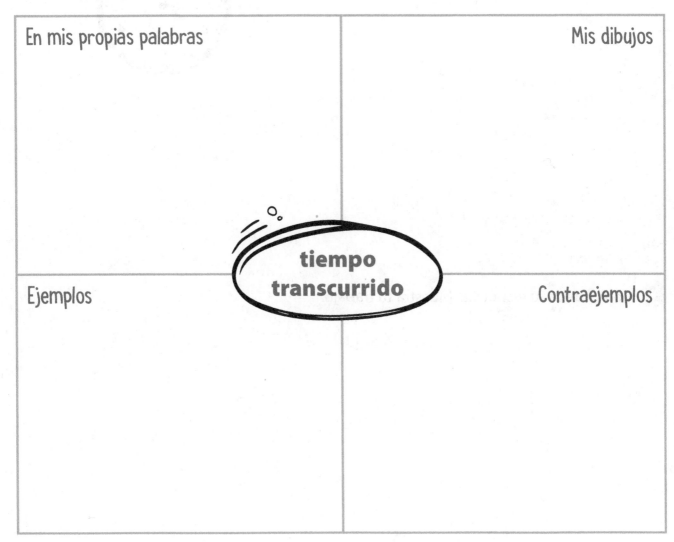

En mis propias palabras	Mis dibujos
tiempo transcurrido	
Ejemplos	Contraejemplos

2. Mira estos relojes.

   ¿Cuál es la hora de inicio? ....

   ¿Cuál es la hora de finalización? ....

   ¿Cuál es el tiempo transcurrido? ....

Inicio

Fin

3 Resuelve el problema. Muestra tu trabajo.

Brie comienza a ver una película a la hora que se muestra en el reloj. ¿Qué hora muestra el reloj?

Solución ....

4 Comprueba tu respuesta. Muestra tu trabajo.

Desarrolla Decir la hora al minuto

Lee el siguiente problema y trata de resolverlo.

> **Sara se sienta a almorzar 43 minutos después del mediodía. ¿A qué hora se sienta Sara a almorzar? Incluye a. m. o p. m. en tu respuesta.**

PRUÉBALO

Herramientas matemáticas
- fichas
- pizarras
- esferas de reloj
- notas adhesivas

CONVERSA CON UN COMPAÑERO

Pregúntale: ¿Puedes explicarme eso otra vez?

Dile: No comprendo cómo . . .

Explora diferentes maneras de entender cómo decir y escribir la hora.

> **Sara se sienta a almorzar 43 minutos después del mediodía. ¿A qué hora se sienta Sara a almorzar? Incluye a. m. o p. m. en tu respuesta.**

HAZ UN DIBUJO

Puedes usar un reloj digital para mostrar qué hora es.

El mediodía es a las 12:00 p. m. Sara almuerza 43 **minutos** después del mediodía.

El reloj muestra p. m. porque la hora es desde el mediodía hasta antes de la medianoche.

HAZ UN MODELO

También puedes usar la siguiente hora para decir qué hora es.

Sara se sienta a almorzar entre las 12:00 p. m. y la 1:00 p. m. Puedes decir la hora diciendo cuántos minutos son después de las 12:00. También puedes decir cuántos minutos son antes de la 1:00.

Para contar los minutos, comienza siempre en el 12.

- **Cuenta hacia delante** para calcular cuántos minutos son después de las 12:00.

- **Cuenta hacia atrás** desde el 12 para calcular cuántos minutos son antes de la 1:00.

Si cuentas hacia atrás, puedes ver que **43 minutos después de las 12:00 p. m.** indican la misma hora que **17 minutos antes de la 1:00 p. m.**

CONÉCTALO

Ahora vas a usar el problema de la página anterior para ayudarte a entender cómo decir y escribir la hora.

1 ¿Qué manecilla del reloj señala la hora?

¿Entre qué dos números debe estar esta manecilla para mostrar la hora a la que Sara se sienta a almorzar? Explica cómo lo sabes.

2 ¿Qué manecilla del reloj señala los minutos? ....

¿Cuántos minutos debe mostrar esta manecilla? ....

3 ¿A qué hora se sienta Sara a almorzar? ....

4 Dibuja las manecillas en el reloj para mostrar la hora a la que Sara se sienta a almorzar.

5 Explica cómo decir la hora y los minutos en un reloj con manecillas.

6 REFLEXIONA

Repasa **Pruébalo**, las estrategias de tus compañeros, **Haz un dibujo** y **Haz un modelo**. ¿Qué modelos o estrategias prefieres para decir la hora y los minutos? Explica.

....

....

....

APLÍCALO

Usa lo que acabas de aprender para resolver estos problemas.

7 Faltan 7 minutos para las 2 p. m. Dibuja las manecillas en el reloj de la derecha para mostrar la hora. Luego escribe la hora en el siguiente reloj digital. Asegúrate de incluir a. m. o p. m.

8 Escribe de dos maneras la hora que se muestra. Muestra tu trabajo.

Solución ....

....

9 ¿Qué frases describen la hora que se muestra en el siguiente reloj?

Ⓐ 48 minutos después de las 5:00

Ⓑ 48 minutos para las 5:00

Ⓒ 48 minutos para las 6:00

Ⓓ 12 minutos para las 5:00

Ⓔ 12 minutos para las 6:00

Ⓕ 12 minutos después de las 6:00

Practica decir la hora al minuto

**Estudia el Ejemplo, que muestra cómo decir la hora al minuto.
Luego resuelve los problemas 1 a 9.**

EJEMPLO

¿Qué hora muestra el reloj?

El horario señala que es entre las 3 y las 4. Le toma
5 minutos al minutero pasar de un número al siguiente.
Le toma 1 minuto al minutero pasar de una marca a la
siguiente.

Cuenta de cinco en cinco desde el 12 hasta el 7. Luego
cuenta 2 minutos más.

El reloj muestra 37 minutos después de las 3, o las 3:37.

1 Mira las flechas rojas que están fuera del reloj. Cuenta de cinco en
cinco y de uno en uno para hallar los minutos que faltan para las 4:00.
Completa los espacios en blanco.

5, 10, ..., ..., 21, ...,

.... minutos para las ....

Escribe la hora de dos maneras en los problemas 2 y 3.

....

.... minutos para las .... minutos para las ....

Escribe la hora en los relojes digitales en los problemas 4 y 5 para que cada par de relojes muestre la misma hora.

4

PM

5

PM

Dibuja las manecillas en los relojes de los problemas 6 y 7 para mostrar la hora.

6 Son 13 minutos después de las 4.

7 Faltan 13 minutos para las 7.

8 Escribe la hora de tres maneras.

.... minutos después de las ....

.... minutos para las ....

9 Mira el reloj del problema 8. Dibuja las manecillas en el siguiente reloj para mostrar qué hora será en 24 minutos.

Desarrolla Hallar la hora de finalización en problemas verbales

Lee el siguiente problema y trata de resolverlo.

> Jenna llega a su casa de la escuela a las 3:30 p. m. Hace tareas de matemáticas durante 10 minutos. Después hace tareas de ciencias durante 15 minutos. Luego practica piano durante 22 minutos. ¿A qué hora termina Jenna?

PRUÉBALO

Herramientas matemáticas
- bloques de base diez
- cubos conectables
- esferas de reloj
- papel cuadriculado de 1 centímetro
- notas adhesivas

CONVERSA CON UN COMPAÑERO

Pregúntale: ¿Por qué elegiste esa estrategia?

Dile: La estrategia que usé para hallar la respuesta fue...

Explora diferentes maneras de entender cómo hallar la hora de finalización en problemas verbales.

> **Jenna llega a su casa de la escuela a las 3:30 p. m. Hace tareas de matemáticas durante 10 minutos. Después hace tareas de ciencias durante 15 minutos. Luego practica piano durante 22 minutos. ¿A qué hora termina Jenna?**

HAZ UN DIBUJO

Puedes usar un reloj para ayudarte a hallar la hora de finalización.

El primer reloj muestra las 3:30 porque a esa hora Jenna comienza a hacer su tarea. Cuenta **10 minutos** para sus tareas de matemáticas, **15 minutos** para sus tareas de ciencias, y **22 minutos** para su práctica de piano.

El segundo reloj muestra la hora a la que Jenna terminó.

HAZ UN MODELO

También puedes usar una recta numérica para ayudarte a hallar la hora de finalización.

La siguiente recta numérica muestra el tiempo en horas y minutos. Cada marca larga representa 5 minutos. Cada marca corta representa 1 minuto.

Comienza a las 3:30. Muestra un salto en la recta numérica por cada tarea. Cada salto es igual al número de minutos que le toma a Jenna hacer sus actividades.

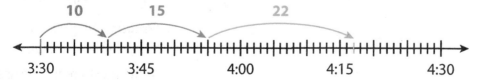

El último salto termina en la hora en la que Jenna termina las tres actividades.

©Curriculum Associates, LLC   Se prohíbe la reproducción.

CONÉCTALO

Ahora vas a usar el problema de la página anterior para ayudarte a entender cómo hallar la hora de finalización en problemas verbales.

1 Explica cómo calcular el tiempo total transcurrido a partir del número de minutos que dedica Jenna a hacer su tarea y practicar piano.

2 Explica cómo usar el tiempo total transcurrido para hallar la hora a la que Jenna termina de hacer su tarea y practicar piano.

3 ¿A qué hora termina Jenna? .... ¿Por qué cambió el número de la hora?

4 Explica cómo hallar la hora de finalización cuando se conoce la hora de inicio y el tiempo total transcurrido.

5 REFLEXIONA

Repasa Pruébalo, las estrategias de tus compañeros, Haz un dibujo y Haz un modelo. ¿Qué modelos o estrategias prefieres para hallar la hora de finalización en problemas verbales? Explica.

APLÍCALO

Usa lo que acabas de aprender para resolver estos problemas.

6 Nate termina de cenar a las 7:10 p. m. Lava los platos durante 15 minutos y luego toma una ducha de 10 minutos. Después lee durante 15 minutos antes de irse a dormir. ¿A qué hora se va Nate a dormir? Muestra tu trabajo.

Solución ....

7 Kari comienza una llamada telefónica con su familia a las 11:45 a. m. Habla con su abuela durante 10 minutos, luego con su abuelo durante 5 minutos y después con su primo durante 8 minutos. ¿A qué hora termina Kari su llamada? Usa la recta numérica para mostrar tu trabajo.

11:45   12:00   12:15

Solución ....

8 Rashid hace un oso de peluche en la juguetería. Comienza a las 4:40 p. m. Pasa 25 minutos en la mesa de relleno y 21 minutos en la mesa de decoración hasta que termina. ¿A qué hora termina? Muestra tu trabajo.

Solución ....

Practica hallar la hora de finalización en problemas verbales

Estudia el Ejemplo, que muestra cómo hallar la hora de finalización cuando se conoce la hora de inicio y el tiempo transcurrido. Luego resuelve los problemas 1 a 6.

EJEMPLO

Anna comienza a pasear a su perro, Pickles, a las 2:40 p. m. Camina durante 25 minutos. Luego juega a la pelota con Pickles durante 15 minutos. ¿A qué hora termina Anna?

Comienza a las 2:40. Cuenta **25 minutos** para el paseo. Luego cuenta **15 minutos** por el juego de pelota. El minutero pasó las 12; por lo tanto, la hora avanzó a las 3. El minutero llegó al 4.

El segundo reloj muestra la hora de finalización, que es las 3:20 p. m.

1   Alma va al área de juego a las 2:45 p. m. Pasa 20 minutos en el columpio y 10 minutos en el pasamanos. Juega en el tobogán durante 12 minutos. Luego se va a su casa. ¿A qué hora Alma se va a su casa? Completa los espacios en blanco.

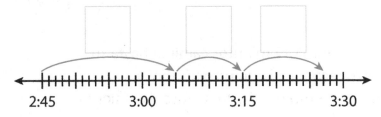

2:45   3:00   3:15   3:30

Alma se va a su casa a las _____.

2   Juanita hace fila para la atracción Safari a las 11:55 a. m. Espera en la fila durante 8 minutos. La atracción dura 7 minutos. ¿A qué hora se baja de la atracción?

11:45   12:00   12:15

Solución

③ Jay sale a las 10:50 a. m. y dedica 35 minutos a buscar lombrices. Luego dedica 10 minutos a recoger su equipo antes de irse a pescar. ¿A qué hora se va Jay a pescar? Dibuja las manecillas en el reloj en blanco para mostrar la hora. Escribe la hora.

Jay se va a pescar a las _____.

④ Kareem comienza a escalar el muro de piedra a las 5:20 p. m. Escala durante 16 minutos. ¿A qué hora termina Kareem de escalar el muro de piedra?

5:15   5:30   5:45

Solución ....

⑤ La familia Mendoza sale de su casa a las 10:30 a. m. Viajan en carro 25 minutos y se detienen en la tienda. La familia pasa 20 minutos en la tienda. Luego viajan otros 13 minutos hasta la playa. ¿A qué hora llegaron a la playa? Muestra tu trabajo.

Solución ....

⑥ Sharna sale de la escuela a las 3:10 p. m. Le toma 12 minutos caminar hasta su casa desde la escuela. Le toma 7 minutos recoger su equipo de futbol y 10 minutos más llegar al campo de juego. El entrenamiento de futbol comienza a las 3:45 p. m. Sharna cree que llegará tarde. ¿Estás de acuerdo? Explica.

Desarrolla Hallar la hora de inicio en problemas verbales

Lee el siguiente problema y trata de resolverlo.

> La clase de guitarra de Marc comienza a las 5:20 p. m. Le toma 15 minutos llegar a su clase desde su casa. Antes de irse, Marc tiene que hacer tareas domésticas durante 25 minutos. ¿A qué hora, a más tardar, debe comenzar Marc sus tareas domésticas para llegar a su clase a tiempo?

PRUÉBALO

Herramientas matemáticas
- cubos conectables
- esferas de reloj
- papel cuadriculado de 1 centímetro
- notas adhesivas

CONVERSA CON UN COMPAÑERO

Pregúntale: ¿Cómo empezaste a resolver el problema?

Dile: Comencé por . . .

Explora diferentes maneras de entender cómo hallar la hora de inicio en problemas verbales.

La clase de guitarra de Marc comienza a las 5:20 p. m. Le toma 15 minutos llegar a su clase desde su casa. Antes de irse, Marc tiene que hacer tareas domésticas durante 25 minutos. ¿A qué hora, a más tardar, debe comenzar Marc sus tareas domésticas para llegar a su clase a tiempo?

HAZ UN DIBUJO

Puedes usar un reloj para ayudarte a hallar la hora de inicio.

El reloj muestra las 5:20 porque a esa hora comienza la clase de guitarra de Marc. Cuenta **15 minutos** hacia atrás para el tiempo que le toma llegar a su clase. Luego cuenta **25 minutos** hacia atrás para el tiempo que le toma hacer sus tareas domésticas.

El segundo reloj muestra la hora en que, a más tardar, Marc debe comenzar a hacer sus tareas domésticas.

HAZ UN MODELO

También puedes usar una recta numérica para ayudarte a hallar la hora de inicio.

La siguiente recta numérica se parece a la que se usó antes para hallar la hora de finalización. Muestra el tiempo en horas y minutos. Cada marca larga representa 5 minutos. Cada marca corta representa 1 minuto.

Comienza a las 5:20. Cuenta hacia atrás el número de minutos que le toma a Marc llegar a su clase y hacer sus tareas domésticas.

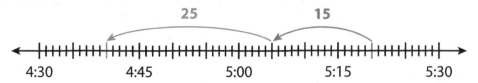

CONÉCTALO

Ahora vas a usar el problema de la página anterior para ayudarte a entender cómo hallar la hora de inicio en problemas verbales.

1 Explica por qué los tiempos se cuentan hacia atrás desde las 5:20 en el reloj y en la recta numérica.

2 ¿A qué hora, a más tardar, debe comenzar Marc sus tareas domésticas? ....

¿Por qué cambió el número de la hora?

3 Explica cómo hallar la hora de inicio cuando se conoce la hora de finalización y el tiempo transcurrido.

4 REFLEXIONA

Repasa Pruébalo, las estrategias de tus compañeros, Haz un dibujo y Haz un modelo. ¿Qué modelos o estrategias prefieres para hallar la hora de inicio en problemas verbales? Explica.

APLÍCALO

Usa lo que acabas de aprender para resolver estos problemas.

5 Mira termina de cortar trozos de frutas y preparar sándwiches para el almuerzo a las 12:30 p. m. Cortó fruta durante 10 minutos y preparó sándwiches durante 7 minutos. ¿A qué hora comenzó a preparar el almuerzo? Usa la recta numérica para mostrar tu trabajo.

```
←|┼┼┼┼┼┼┼┼┼┼┼┼┼┼┼┼┼┼┼┼┼┼┼┼┼┼┼┼┼┼┼┼┼┼┼┼┼┼┼┼┼┼┼┼┼┼┼┼┼┼┼┼┼┼┼┼┼|→
  12:00        12:15        12:30        12:45        1:00
```

Solución ....

6 Carter termina de ordenar su cuarto a las 11:35 a. m. Le tomó 10 minutos guardar todos sus juguetes y 4 minutos hacer su cama. ¿A qué hora comenzó Carter a ordenar su cuarto? Muestra tu trabajo.

Solución ....

7 Enrique camina 5 minutos desde la casa de su abuela hasta la tienda, se detiene en la tienda durante 20 minutos y luego camina 10 minutos desde la tienda hasta su casa. Llega a su casa a las 6:00 p. m. ¿A qué hora se fue de la casa de su abuela? Muestra tu trabajo.

Solución ....

Nombre: _____

Practica hallar la hora de inicio en problemas verbales

Estudia el Ejemplo, que muestra cómo hallar la hora de inicio cuando se conoce la hora de finalización y el tiempo transcurrido. Luego resuelve los problemas 1 a 5.

EJEMPLO

Ming monta en bicicleta para ir a la casa de Carmen. Quiere llegar allí a las 4:30 p. m. Primero tiene que hacer su tarea durante 30 minutos. El recorrido en bicicleta le toma 15 minutos. ¿A qué hora, a más tardar, debe comenzar Ming su tarea?

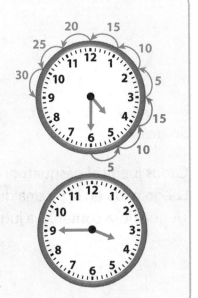

Comienza a las 4:30. Cuenta hacia atrás **15 minutos** para el recorrido en bicicleta. Luego cuenta hacia atrás **30 minutos** para su tarea. El minutero pasó las 12; por lo tanto, la hora retrocede a las 3. El minutero llegó al 9.

El segundo reloj muestra la hora de inicio, que es las 3:45. Ming debe comenzar a hacer su tarea a más tardar las 3:45 p. m.

1️⃣ Johanna y su mamá quieren ir a una fiesta de cumpleaños a las 2:00 p. m. Es una caminata de 25 minutos. En el camino, planean detenerse durante 15 minutos para comprar una tarjeta. ¿A qué hora, a más tardar, deben partir? Muestra cómo contar hacia atrás en la recta numérica.

1:15   1:30   1:45   2:00

Solución ....

2️⃣ Si Johanna y su mamá van en carro a la fiesta en el problema 1, les tomará 8 minutos llegar. Aún planean detenerse para comprar una tarjeta. ¿A qué hora, a más tardar, deben partir si van en carro? Explica.

3) Una película comienza a las 5:15 p. m. Rudy quiere llegar al cine 25 minutos antes de que comience la película. Le toma 10 minutos ir al cine en carro. ¿A qué hora debe salir Rudy de su casa? Muestra tu trabajo.

Solución

4) Carlos juega al básquetbol en el área de juego durante 12 minutos. Luego nada en la piscina durante 25 minutos. Termina a las 12:00 p. m. ¿A qué hora comenzó a jugar al básquetbol? Muestra tu trabajo.

Solución

5) Allie termina su práctica de gimnasia a las 7:30 p. m. En la práctica, dio volteretas durante 20 minutos. Luego trabajó en la barra de equilibrio durante 10 minutos. Allie también practicó en la cama elástica durante 15 minutos. ¿A qué hora comenzó a practicar? Muestra tu trabajo.

Solución

Refina Comprender el tiempo

Completa el Ejemplo siguiente. Luego resuelve los problemas 1 a 8.

EJEMPLO

El juego de futbol de Malea comienza a las 9:40 a. m. y termina a las 10:32 a. m. ¿Cuánto dura el juego de futbol de Malea?

Mira cómo podrías mostrar tu trabajo.

Las 9:40 son 20 minutos para las 10:00.

Las 10:32 son 32 minutos después de las 10:00.

$20 + 32 = 52$

Solución ....

El estudiante usó lo que sabía sobre cómo decir el tiempo antes y después de la hora para hallar la respuesta.

EN PAREJA

¿De qué otra manera podrías haber resuelto este problema?

APLÍCALO

1 Lamar cuida a su hermana menor mientras su mamá está ocupada. Juega con los bloques durante 15 minutos, al cu-cu durante 5 minutos y con los trencitos durante 13 minutos. Su mamá regresa para acostar a su hermana a las 2:15 p. m. ¿A qué hora comenzó Lamar a cuidar a su hermana? Muestra tu trabajo.

¿Debes contar los minutos hacia delante o hacia atrás desde las 2:15 para hallar la hora en la que comenzó a cuidar a su hermana?

EN PAREJA

¿Cómo decidiste de qué manera resolver el problema?

Solución ....

2 El Sr. Chen comienza a hacer trabajos de jardinería a las 10:00 a. m. Riega las flores durante 6 minutos, quita la maleza del jardín durante 12 minutos y poda los arbustos durante 27 minutos. ¿A qué hora termina el Sr. Chen el trabajo de jardinería? Muestra tu trabajo.

Creo que sumar todas los tiempos primero haría que este problema fuera más fácil de resolver.

EN PAREJA
¿Tuviste que dibujar un reloj o hacer una recta numérica para ayudarte? ¿Por qué sí o por qué no?

Solución ....

3 Luca comienza a limpiar su cuarto a la hora que se muestra en el reloj.

Todas las opciones indican los minutos antes de la hora. ¿Qué tienes que hacer para averiguarlo?

¿Cuál dice la hora que se muestra en el reloj?

Ⓐ 9 minutos para las 9:00

Ⓑ 9 minutos para las 10:00

Ⓒ 11 minutos para las 10:00

Ⓓ 51 minutos para las 09:00

Bo eligió Ⓓ como la respuesta correcta. ¿Cómo obtuvo él esa respuesta?

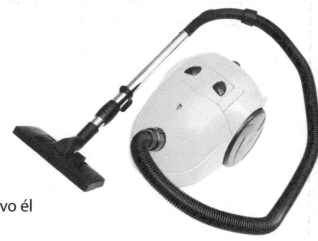

EN PAREJA
¿Tiene sentido la respuesta de Bo?

4 ¿Qué par de relojes muestran la misma hora?

Ⓐ **PM 4:55**

Ⓑ **AM 8:12**

Ⓒ **PM 1:04**

Ⓓ **AM 6:32**

5 Patty, Joyce y Stef deben partir a la escuela a las 7:45 a. m.
¿Partirá cada niña a la escuela a tiempo?

	Sí	No
Patty se levanta a las 7:10 a. m. Le toma 10 minutos alistarse, 7 minutos guardar su almuerzo y 15 minutos desayunar.	Ⓐ	Ⓑ
Joyce se levanta a las 6:50 a. m. y hace ejercicio durante 30 minutos. Luego le toma 20 minutos alistarse y 12 minutos desayunar.	Ⓒ	Ⓓ
Stef se levanta a la 7:15 a. m. Le toma 15 minutos alistarse, 5 minutos guardar su almuerzo y 9 minutos desayunar.	Ⓔ	Ⓕ

6 Mariah juega dos partidas de damas con su hermano. La primera partida les toma 12 minutos y la segunda les toma 18 minutos. Guardan el juego a las 7:55 p. m. ¿A qué hora comenzaron a jugar a las damas? Muestra tu trabajo.

Comenzaron a jugar a las damas a las ....

7 Jamal comienza a escribir notas de agradecimiento a las 5:25 p. m. Le toma 20 minutos escribirlas. También dedica tiempo a escribir las direcciones en los sobres. Termina a las 6:00 p. m. ¿Cuánto le tomó a Jamal escribir las direcciones? Muestra tu trabajo.

A Jamal le tomó .... minutos escribir las direcciones.

8 DIARIO DE MATEMÁTICAS

Escribe un problema verbal sobre tiempo transcurrido que puedas resolver. Muestra cómo hallar la respuesta.

 COMPRUEBA TU PROGRESO Vuelve al comienzo de la Unidad 5 y mira qué destrezas puedes marcar.

Volumen líquido

Estimada familia:

Esta semana su niño está aprendiendo sobre medir el volumen líquido usando litros.

El **volumen líquido** es la cantidad de espacio que ocupa un líquido.

Una unidad estándar que se usa para medir el volumen líquido se llama litro. Un **litro** es aproximadamente la misma cantidad que un cuarto. Es útil tener una imagen de cuánto es un litro. Un litro es aproximadamente:

la cantidad de agua en una botella grande

la cantidad de leche en 4 cartones pequeños de leche

la cantidad de leche en $\frac{1}{4}$ de un galón

Su niño usará la suma, la resta, la multiplicación y la división para resolver problemas verbales relacionados con el volumen líquido.

Por ejemplo, las líneas cortas amarillas de la jarra de agua muestran secciones que contienen 1 litro cada una. Hay 8 secciones; por lo tanto, el recipiente contiene un total de 8 litros.

Si este recipiente de 8 litros se llena con jugo y 4 equipos quieren compartirlo por igual, ¿cuántos litros de jugo le tocaría a cada equipo?

Puede que su niño escriba ecuaciones como estas para resolver el siguiente problema.

$$8 \div 4 = ? \quad \text{o} \quad 4 \times ? = 8$$

1 litro →

Invite a su niño a compartir lo que sabe sobre medir líquidos en litros haciendo juntos la siguiente actividad.

ACTIVIDAD VOLUMEN LÍQUIDO

Haga la siguiente actividad con su niño para explorar medir el volumen líquido.

Haga una búsqueda del tesoro para hallar recipientes que contengan *aproximadamente un litro, menos de un litro* y *más de un litro*. Anote los recipientes en la siguiente tabla.

Algunos recipientes que puede hallar son un florero, un frasco de comida para bebé, un bote de basura o un vaso desechable. Cualquiera de estos objetos puede ser un buen comienzo para su lista.

Aproximadamente un litro	Menos de un litro	Más de un litro

Si tiene una botella de plástico de 1 litro (o de 1 cuarto) o un envase de yogur, úselo para comprobar su razonamiento.

- Llene la botella de litro con agua y luego viértala en cada recipiente para comprobar si la botella de litro contiene más, menos o casi la misma cantidad.

- Haga que la actividad sea más exigente estimando cuántos litros contiene cada uno de los objetos más grandes y luego, ¡compruebe sus estimaciones!

Explora Trabajar con el volumen líquido

En la lección anterior aprendiste a medir el tiempo usando minutos y horas. También puedes medir el volumen líquido. Usa lo que sabes para tratar de resolver el siguiente problema.

> **Supón que tienes una regla y una taza de medir de 1 litro. Explica qué herramienta elegirías para medir la cantidad de agua que cabe en la cubeta y cómo la usarías.**

Objetivo de aprendizaje

- Medir y estimar volúmenes líquidos y la masa de objetos usando unidades estándares de gramos (g), kilogramos (kg) y litros (L). Sumar, restar, multiplicar o dividir para resolver problemas verbales de un paso con masas o volúmenes que se dan en las mismas unidades.

EPM 1, 2, 3, 4, 5, 6

PRUÉBALO

Herramientas matemáticas

- reglas
- vasos desechables
- papel cuadriculado de 1 centímetro
- notas adhesivas

CONVERSA CON UN COMPAÑERO

Pregúntale: ¿Estás de acuerdo conmigo? ¿Por qué sí o por qué no?

Dile: Estoy de acuerdo contigo en que . . . porque . . .

CONÉCTALO

1 REPASA

Explica qué herramienta mide mejor la cantidad de agua que cabe en la cubeta.

2 SIGUE ADELANTE

Cuando se mide cuánta agua hay en una cubeta, se mide el **volumen líquido**. Un **litro** es una unidad estándar de volumen líquido. Cada uno de los siguientes ejemplos muestra recipientes que tienen aproximadamente un litro de capacidad.

una botella de agua grande   4 envases de leche pequeños $\frac{1}{4}$ de un galón

a. Encierra en un círculo el recipiente que tiene aproximadamente un litro de capacidad. Encierra en un recuadro el recipiente que tiene menos de un litro de capacidad. Pon una X en el recipiente que tiene más de un litro de capacidad.

b. Mira el recipiente que tachaste en la Parte a. ¿Cómo podrías hallar cuántos litros caben en este recipiente cuando se llena?

3 REFLEXIONA

Nombra un recipiente diferente que tenga menos de 1 litro de capacidad, otro que tenga aproximadamente 1 litro de capacidad y otro que tenga más de 1 litro de capacidad.

Prepárate para trabajar con el volumen líquido

1 Piensa en lo que sabes acerca de las medidas. Llena cada recuadro. Usa palabras, números y dibujos. Muestra tantas ideas como puedas.

Palabra	En mis propias palabras	Ejemplo
volumen líquido		
litro		

2 Encierra en un círculo el recipiente que tiene un volumen líquido de aproximadamente un litro. Encierra en un recuadro el recipiente que tiene un volumen líquido de menos de un litro. Pon una X en el recipiente que tiene un volumen líquido de más de un litro.

3 Resuelve el problema. Muestra tu trabajo.

Supón que tienes una regla y una taza de medir de 1 litro. Explica qué herramienta elegirías para medir la cantidad de agua que cabe en la jarra y cómo la usarías.

Solución

....

....

....

4 Comprueba tu respuesta. Muestra tu trabajo.

Lee el siguiente problema y trata de resolverlo.

> **Kayla usará un envase de un litro para llenar su pecera pequeña. Estima cuántos litros de agua caben en la pecera cuando se llena.**

1 litro

PRUÉBALO

Herramientas matemáticas

- cubos conectables
- papel cuadriculado
- notas adhesivas

CONVERSA CON UN COMPAÑERO

Pregúntale: ¿Por qué elegiste esa estrategia?

Dile: La estrategia que usé para hallar la respuesta fue . . .

Explora diferentes maneras de entender cómo estimar el volumen líquido.

> **Kayla usará un envase de un litro para llenar su pecera pequeña. Estima cuántos litros de agua caben en la pecera cuando se llena.**

1 litro

HAZ UN DIBUJO

Puedes usar un modelo para ayudarte a hacer una estimación.

Puedes dibujar cuántos envases de litro cabrían en la pecera.

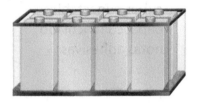

Vista frontal

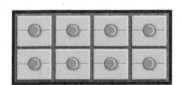

Vista superior

Cuenta el número de envases. Esta es tu estimación.

HAZ UN MODELO

Puedes representar el problema de otra manera para ayudarte a hacer una estimación.

Esto muestra 1 litro de agua en la pecera.

Puedes pensar en qué fracción de la pecera se llena cuando contiene 1 litro de agua.

○

○

○

CONÉCTALO

Ahora vas a usar el problema de la página anterior para ayudarte a entender cómo estimar el volumen líquido.

1 Mira el 1 litro de agua que se muestra en la pecera en Haz un modelo. Explica cómo hallar la fracción de la pecera que ocupa el agua.

2 Explica cómo usar esta fracción para estimar cuántos litros de agua caben en la pecera cuando se llena.

3 Aproximadamente, ¿cuántos litros de agua caben en la pecera cuando se llena?

4 Ahora mira al dibujo de los envases que están dentro de la pecera en Haz un dibujo.

¿Es cercana tu estimación a la estimación que muestra este dibujo? ....

5 Explica cómo estimar el número de litros de agua que se necesitarían para llenar un recipiente.

6 REFLEXIONA

Repasa Pruébalo, las estrategias de tus compañeros, Haz un dibujo y Haz un modelo. ¿Qué modelos o estrategias prefieres para estimar el volumen líquido? Explica.

APLÍCALO

Usa lo que acabas de aprender para resolver estos problemas.

7 Estima el volumen líquido del recipiente rojo.
Muestra tu trabajo.

1 litro

Solución ....

8 Estima el volumen líquido de la olla de metal.

1 litro

Solución ....

9 ¿En qué recipiente podrían caber aproximadamente 10 litros cuando se llena?

Ⓐ una tetera

Ⓑ un vaso de agua

Ⓒ una bañera

Ⓓ un lavabo

Practica estimar el volumen líquido

Estudia el Ejemplo, que muestra cómo estimar el volumen líquido. Luego resuelve los problemas 1 a 7.

EJEMPLO

Jan va a verter agua en una hielera de picnic. Ella trata de estimar cuántos litros caben en la hielera cuando se llena.

Parece que en la hielera caben seis botellas de 1 litro.

Jan estima que en la hielera cabrán aproximadamente 6 litros de agua.

1 litro

1 La botella de jugo tiene 1 litro de capacidad. Aproximadamente, ¿cuántos litros podrían caber en la jarra cuando se llena? ¿Cómo lo decidiste?

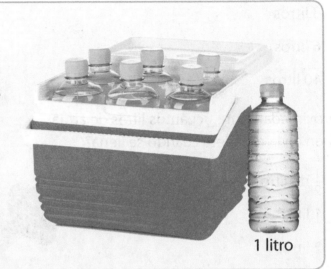

1 litro   ? litros

2 ¿En qué cosas podría caber aproximadamente 1 litro de agua cuando se llenan?

   Ⓐ un bote de basura   Ⓑ una bañera

   Ⓒ una cafetera   Ⓓ un florero

   Ⓔ un vaso desechable   Ⓕ una cucharita

3 En un fregadero caben aproximadamente 40 litros de agua. ¿En qué recipiente podrían caber más de 40 litros de agua?

   Ⓐ una bañera   Ⓑ una olla de cocina

   Ⓒ una taza de café   Ⓓ un tazón de cereal

4 Este dispensador de jugo contiene 3 litros de jugo. Aproximadamente, ¿con cuántos litros se llena este dispensador de jugo?

Ⓐ 2 litros

Ⓑ 3 litros

Ⓒ 6 litros

Ⓓ 10 litros

5 Aproximadamente, ¿cuántos litros de agua caben en la regadera cuando se llena?

Ⓐ $\frac{1}{2}$ de litro

Ⓑ 1 litro

Ⓒ 2 litros

Ⓓ 5 litros

1 litro

? litros

6 Explica cómo estimaste la respuesta al problema 5.

7 Explica cómo estimar la fracción de la regadera del problema 5 que puede llenarse con 1 litro de agua.

Desarrolla Resolver problemas sobre volumen líquido

Lee el siguiente problema y trata de resolverlo.

> **Maria tiene una hielera llena con 8 litros de limonada. Quiere colocar la limonada en jarras para poner en las mesas en su fiesta. Cada jarra tiene 2 litros de capacidad. ¿Cuántos jarras necesita Maria?**

PRUÉBALO

Herramientas matemáticas

- fichas
- botones
- vasos desechables
- papel cuadriculado de 1 centímetro
- notas adhesivas

CONVERSA CON UN COMPAÑERO

Pregúntale: ¿Por qué elegiste esa estrategia?

Dile: La estrategia que usé para hallar la respuesta fue...

Explora diferentes maneras de entender cómo resolver problemas verbales sobre volumen líquido.

> **Maria tiene una hielera llena con 8 litros de limonada. Quiere colocar la limonada en jarras para poner en las mesas en su fiesta. Cada jarra tiene 2 litros de capacidad. ¿Cuántos jarras necesita Maria?**

HAZ UN DIBUJO

Puedes usar un modelo para ayudarte a resolver el problema.

El siguiente modelo muestra la hielera llena de limonada. Cada marca a la izquierda de la hielera muestra 1 litro. Cada línea completa marca una sección de 2 litros.

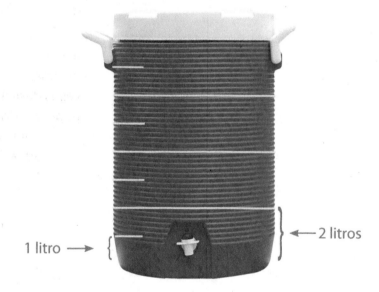

1 litro ⟶   ⟵ 2 litros

HAZ UN MODELO

Puedes representar el problema de otra manera para ayudarte a resolverlo.

Cada jarra tiene 2 litros de capacidad. En las jarras deben caber 8 litros de limonada en total.

2 litros   2 litros   2 litros   2 litros

CONÉCTALO

Ahora vas a usar el problema de la página anterior para ayudarte a entender cómo resolver problemas verbales sobre volumen líquido.

1 ¿De qué manera muestra el dibujo de la hielera en Haz un dibujo cuántos litros de limonada caben en la hielera?

¿Cómo puedes usar la hielera para calcular cuántas jarras se necesitan?

2 ¿Qué debes hacer para hallar el número de jarras que necesita Maria?

3 Escribe una ecuación de división usando *j* como número desconocido en el problema. Luego escribe una ecuación de multiplicación relacionada. Luego resuelve las ecuaciones.

4 Una respuesta completa incluye un rótulo que muestra lo que se está contando. Escribe la respuesta al problema e incluye un rótulo. ¿Por qué es importante incluir un rótulo?

5 REFLEXIONA

Repasa Pruébalo, las estrategias de tus compañeros, Haz un dibujo y Haz un modelo. ¿Qué modelos o estrategias prefieres para resolver problemas sobre volumen líquido? Explica.

APLÍCALO

Usa lo que acabas de aprender para resolver estos problemas.

6 ¿Cuánta menos agua hay en el segundo recipiente
que en el primero? Muestra tu trabajo.

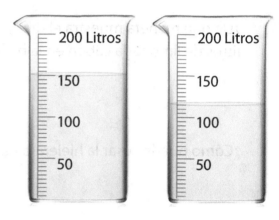

Solución ....

7 Ethan tiene 7 jarras. Cada jarra contiene 3 litros de agua. ¿Cuánta agua tiene
Ethan en total? Muestra tu trabajo.

Solución ....

8 Leo necesita 12 litros de jugo para una fiesta. ¿Cuántas botellas de 2 litros de
jugo debería comprar? Muestra tu trabajo.

Solución ....

Practica resolver problemas verbales sobre volumen líquido

Estudia el Ejemplo, que muestra cómo resolver un problema verbal sobre volumen líquido. Luego resuelve los problemas 1 a 8.

EJEMPLO

Bridget llena 7 hieleras con agua para el picnic de la escuela. Cada hielera contiene 9 litros de agua. ¿Cuántos litros de agua hay en todas las hieleras?

Cada hielera tiene la misma cantidad de agua; por lo tanto, puedes multiplicar para hallar el total.

$7 \times 9 = 63$

Las hieleras contienen 63 litros de agua.

1 Jose tiene una hielera con 25 litros de limonada para llevar a la escuela para su fiesta de cumpleaños. Luego vierte 1 litro de la hielera para guardar en su casa. ¿Cuántos litros quedan para llevar a la escuela?

2 La maestra Lyon llevó a la escuela una hielera con 24 litros de limonada para servir a sus estudiantes. Los estudiantes se sientan en 8 mesas diferentes. Da la misma cantidad de limonada a los estudiantes en cada mesa. ¿Cuántas litros recibe cada mesa?

3 Escribe una ecuación de división con un número desconocido para mostrar cómo resolviste el problema 2.

1 litro ⟶ {

4 Samuel lleva a su juego de básquetbol 5 hieleras llenas de agua como la que se muestra. ¿Cuántos litros de agua llevó al juego en total? Muestra tu trabajo.

Solución ....

5 Mira el problema 4. Si 3 hieleras están completamente vacías luego del juego, ¿cuántos litros de agua quedan? Muestra tu trabajo.

Solución ....

6 En el tanque de combustible del carro de Janice caben 60 litros de gasolina. Tiene 20 litros de gasolina en el tanque. ¿Cuánta gasolina más necesita para llenar el tanque? Muestra tu trabajo.

Solución ....

7 En la pecera de Bobby caben 32 litros de agua. Usa una cubeta de 4 litros para llenar la pecera. ¿Cuántas cubetas de agua se necesitan para llenar la pecera? Muestra tu trabajo.

Solución ....

8 Terry tiene jarras que tienen 2 litros y 5 litros de capacidad. ¿Cómo puede usar estas jarras para medir exactamente 3 litros de agua?

Refina Comprender el volumen líquido

Completa el Ejemplo siguiente. Luego resuelve los problemas 1 a 9.

EJEMPLO

Bella necesita preparar recipientes de agua iguales al que se muestra. ¿Cuántos litros de agua necesitará Bella para preparar 7 recipientes como este?

Mira cómo podrías mostrar tu trabajo usando una ecuación.

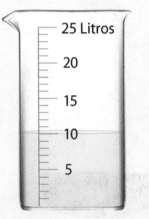

En cada recipiente caben 10 litros de agua.

$$7 \times 10 = 70$$

Solución ....

El estudiante primero tuvo que calcular cuánta agua cabe en cada recipiente.

EN PAREJA
¿De qué otra manera podrías resolver este problema?

APLÍCALO

1 Perry tiene 3 barriles grandes que reúnen agua de lluvia que usa para regar su jardín los días secos. Luego de una tormenta reciente, en un barril cupieron 186 litros de agua, en otro 203 litros y en otro 190 litros. ¿Cuántos litros de lluvia reunió Perry en total? Muestra tu trabajo.

Debes hallar cuántos litros hay en total. ¿Qué operación puedes usar para resolver el problema?

EN PAREJA
¿Cómo decidiste qué información era importante en el problema?

Solución ....

2 Mary vierte el jugo de frutas de una botella de 1 litro en un recipiente grande. Abajo se muestra el recipiente grande con 1 litro de jugo de frutas. Estima el volumen líquido del recipiente grande.

Podrías pensar en cuántas botellas de 1 litro cabrían en el recipiente grande o podrías mirar qué fracción del recipiente grande contiene 1 litro de jugo.

Solución

EN PAREJA

¿Qué estrategia usaste para estimar el volumen líquido?

3 Jason tiene su tortuga en una pecera en la que caben 20 litros de agua. Tiene su rana en una pecera en la que caben 10 litros de agua. ¿Cuánto más grande es el volumen de la pecera de la tortuga que de la pecera de la rana?

Debes averiguar cuánta más agua cabe en una pecera que en la otra. ¿Cómo puedes hacerlo?

Ⓐ 2 litros

Ⓑ 10 litros

Ⓒ 30 litros

Ⓓ 200 litros

Maya eligió Ⓒ como la respuesta correcta. ¿Cómo obtuvo ella esa respuesta?

EN PAREJA

¿Tiene sentido la respuesta de Maya?

4 Esta olla contiene 1 litro de agua. ¿Cuál es la mejor estimación para cuántos litros de agua caben en la olla cuando se llena?

Ⓐ 2 litros

Ⓑ 3 litros

Ⓒ 6 litros

Ⓓ 10 litros

5 Noah usa 8 litros de agua completos para regar 4 lechos de flores. Usa la misma cantidad de agua en cada uno. ¿Cuántos litros de agua usa en cada lecho de flores?

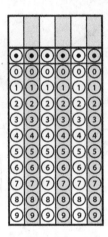

6 ¿Cuántos litros de agua en total contienen estos recipientes? Muestra tu trabajo.

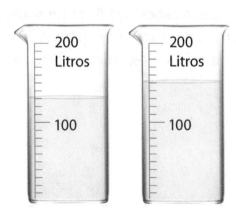

Solución ....

7 ¿Qué recipientes contienen menos de 1 litro cuando están llenos?

Ⓐ fregadero

Ⓑ envase de jugo

Ⓒ frasco de comida para bebés

Ⓓ bañera

Ⓔ vaso desechable

8 Molly llena una bañera para su perro usando una cubeta de 4 litros. Llena la cubeta 6 veces. ¿Cuánta agua usa Molly para bañar a su perro? Muestra tu trabajo.

.... litros

9 DIARIO DE MATEMÁTICAS

En un camión de agua caben 456 litros de agua. En otro camión de agua caben 325 litros de agua. ¿Cuántos litros de agua caben en los dos camiones en total? Explica cómo hallaste tu respuesta usando dibujos, palabras o ecuaciones.

 COMPRUEBA TU PROGRESO Vuelve al comienzo de la Unidad 5 y mira qué destrezas puedes marcar.

Masa

Estimada familia:

Esta semana su niño está aprendiendo a medir la masa de los objetos usando gramos o kilogramos como unidades.

Cuando se habla de medir la **masa** de un objeto, la intención es saber cuánta materia tiene el objeto. Una manera de medir la masa de un objeto es medir qué tan pesado es.

Dos unidades que se usan comúnmente para medir la masa son los **gramos** y los **kilogramos**.

- La masa de un clip es de aproximadamente 1 gramo.

- La masa de un bate de beisbol de madera es de aproximadamente 1 kilogramo.

Un kilogramo es igual a 1,000 gramos. Por lo tanto, también es tan pesado como 1,000 clips.

Una manera de hallar la masa de cualquier objeto es usar una balanza de platillos. En el dibujo, dos pesas de 1 kilogramo nivelan la bolsa de harina, mostrando que la masa de la harina es igual a 2 kilogramos.

Si solo quiere estimar la masa aproximada de algo, una manera de hacerlo es compararlo con otra cosa cuya masa conoce. Por ejemplo, si levanta estos dos libros, le puede parecer que pesan casi lo mismo que la bolsa de harina. Como sabe que la bolsa de harina tiene una masa de 2 kilogramos, puede estimar que la masa de los libros también es aproximadamente 2 kilogramos. Por lo tanto, la masa de un libro es aproximadamente 1 kilogramo.

Invite a su niño a compartir lo que sabe sobre medir la masa haciendo juntos la siguiente actividad.

ACTIVIDAD BÚSQUEDA DE MASAS

Haga la siguiente actividad con su niño para explorar el concepto de masa.

Hagan una búsqueda del tesoro para hallar objetos que tengan una masa de aproximadamente 1 gramo y objetos que tengan una masa de aproximadamente 1 kilogramo. Anote los objetos en la siguiente tabla.

Recuerde:

• 1 **gramo** es aproximadamente la masa de un clip.
• 1 **kilogramo** es aproximadamente la masa de un bate de beisbol de madera.

Algunos objetos que puede hallar son una liga, un libro de la biblioteca, un billete de un dólar, un vaso desechable, una bolsa de arroz. Cualquiera de estos objetos puede ser un buen comienzo para su lista.

Aproximadamente 1 gramo	Más de 1 gramo y menos de 1 kilogramo	Aproximadamente 1 kilogramo

Si tiene una botella de agua de un litro llena o un envase de yogur de un cuarto lleno, esos objetos tienen una masa de aproximadamente 1 kilogramo. También puede tener una mancuerna de 1 kilogramo. Puede usar cualquiera de estos objetos para ayudarlo a comparar la masa de cada objeto de su lista con 1 kilogramo.

Explora Trabajar con masa

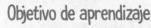

Antes aprendiste a medir el volumen líquido. También puedes medir la masa de un objeto. Usa lo que sabes para tratar de resolver el siguiente problema.

Objetivo de aprendizaje

- Medir y estimar volúmenes líquidos y la masa de objetos usando las unidades estándares de gramos (g), kilogramos (kg) y litros (L). Sumar, restar, multiplicar o dividir para resolver problemas verbales de un paso con masas o volúmenes que se dan en las mismas unidades.

EPM 1, 2, 3, 4, 5, 6, 8

El clip pesa aproximadamente 1 gramo en una balanza. ¿Cómo podrías estimar la masa del lápiz? ¿Cómo podrías usar clips para medir la masa del lápiz?

PRUÉBALO

Herramientas matemáticas

- balanza de platillos
- papel cuadriculado de 1 centímetro
- clips
- cuerda
- platos desechables

CONVERSA CON UN COMPAÑERO

Pregúntale: ¿Puedes explicarme eso otra vez?

Dile: Yo ya sabía que . . . así que . . .

CONÉCTALO

1 REPASA

Explica cómo pudiste estimar y medir la masa del lápiz.

2 SIGUE ADELANTE

La **masa** es la cantidad de materia que hay en un objeto. Una manera de hallar la masa de un objeto es ver cuánto pesa. Puedes usar la masa de objetos conocidos para estimar otras masas. Puedes usar una balanza para medir la masa.

La masa de un clip es de aproximadamente 1 **gramo**.

La masa de un libro de pasta dura grande es de aproximadamente 1 **kilogramo**.

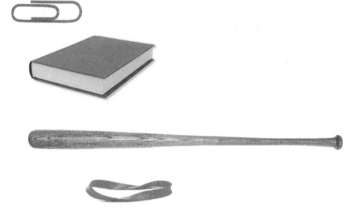

a. Se muestra un bate de beisbol y una liga. Encierra en un círculo el que tenga una masa de aproximadamente 1 gramo. Encierra en un recuadro el que tenga una masa de aproximadamente 1 kilogramo.

b. 1 kilogramo es lo mismo que 1,000 gramos. Por lo tanto, un objeto que tiene una masa de 1 kilogramo pesa aproximadamente tanto como .... clips.

3 REFLEXIONA

El hermano de Elena dice que el perro de la familia tiene una masa de 30 gramos. Elena dice que el perro tiene una masa de 30 kilogramos. ¿Quién crees que tiene razón? ¿Por qué crees que es así?

Prepárate para trabajar con masa

1 Piensa en lo que sabes acerca de las medidas. Llena cada recuadro. Usa palabras, números y dibujos. Muestra tantas ideas como puedas.

Palabra	En mis propias palabras	Ejemplo
masa		
gramo		
kilogramo		

2 Se muestran una barra de goma de mascar y un gatito. Encierra en un círculo el que tenga una masa de aproximadamente 1 gramo. Encierra en un recuadro el que tenga una masa de aproximadamente 1 kilogramo.

3 Resuelve el problema. Muestra tu trabajo.

El clip pesa aproximadamente 1 gramo en una balanza. ¿Cómo podrías estimar la masa del pincel? ¿Cómo podrías usar clips para medir la masa del pincel?

Solución

4 Comprueba tu respuesta. Muestra tu trabajo.

Desarrolla Estimar masa

Lee el siguiente problema y trata de resolverlo.

> **Jamie compró una sandía mediana en la tienda.**
> **Estima la masa de la sandía.**

PRUÉBALO

Herramientas matemáticas

- balanza de platillos
- clips
- cuerda
- platos desechables
- libros de pasta dura grandes

CONVERSA CON UN COMPAÑERO

Pregúntale: ¿Estás de acuerdo conmigo? ¿Por qué sí o por qué no?

Dile: No comprendo cómo . . .

Explora diferentes maneras de entender cómo estimar la masa.

> **Jamie compró una sandía mediana en la tienda.**
> **Estima la masa de la sandía.**

HAZ UN DIBUJO

Puedes usar modelos para ayudarte a estimar la masa de un objeto.

Jamie levantó los seis libros que se muestran abajo. Luego levantó la sandía.
Los libros y la sandía parecían tener aproximadamente la misma masa.

HAZ UN MODELO

Puedes usar una balanza para ayudarte a estimar o hallar la masa de un objeto.

Jamie colocó la sandía en un lado de la balanza y algunas pesas de 1 kilogramo y
10 gramos en el otro lado.

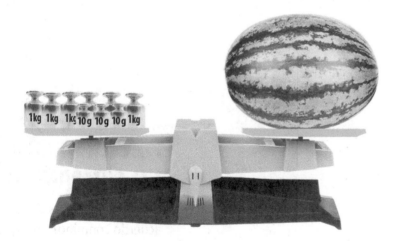

Puedes ver que se necesitan seis pesas de 1 kilogramo y tres pesas de 10 gramos para
equilibrar la balanza. Las pesas tienen la abreviatura kg para kilogramo y g para gramo.

CONÉCTALO

Ahora vas a usar el problema de la página anterior para ayudarte a entender cómo estimar la masa.

1 Mira Haz un dibujo. Explica por qué Jamie usó libros en lugar de clips para ayudarse a estimar la masa de la sandía.

2 La masa de cada libro es de aproximadamente 1 kilogramo. Estima la masa de la sandía. Explica cómo lo hiciste.

3 Mira la balanza en Haz un modelo. Los dos lados de la balanza están equilibrados; por lo tanto, muestra la masa real de la sandía. ¿Cuál es la masa real de la sandía?

¿Es la estimación que hiciste en el problema 2 cercana a la masa real?

4 Explica cómo podrías estimar la masa de un tenedor plástico.

5 REFLEXIONA

Repasa Pruébalo, las estrategias de tus compañeros, Haz un dibujo y Haz un modelo. ¿Qué modelos o estrategias prefieres para estimar la masa? Explica.

....

....

....

APLÍCALO

Usa lo que acabas de aprender para resolver estos problemas.

6 ¿Estimarías la masa de una mesa usando gramos o kilogramos? Muestra tu trabajo.

Solución ....

7 Esta balanza se usa para medir la masa de 3 ladrillos. Estima la masa de 1 ladrillo. Muestra tu trabajo.

Solución ....

8 Estima la masa de unas tijeras.

Ⓐ 28 gramos

Ⓑ 28 kilogramos

Ⓒ 2 gramos

Ⓓ 2 kilogramos

Practica estimar la masa

**Estudia el Ejemplo, que muestra una manera de estimar la masa.
Luego resuelve los problemas 1 a 8.**

EJEMPLO

Dana quiere estimar cuánto pesa su mochila cuando
la llena con libros de pasta dura de la biblioteca.

Cada libro tiene una masa de aproximadamente 1 kilogramo.
Puede colocar 8 libros en su mochila.

Dana estima que su mochila llena tiene una masa de
aproximadamente 9 kilogramos, porque la mochila también
tiene masa.

1 ¿Usarías gramos o kilogramos como unidad para medir la masa de una fresa?

2 ¿Usarías gramos o kilogramos como unidad para medir la masa
de un cachorro?

3 ¿Usarías gramos o kilogramos como unidad para medir la masa
de un bolígrafo?

4 Una botella de 1 litro de agua tiene una masa de aproximadamente
1 kilogramo. ¿Qué objetos podrían tener una masa de más de 1 kilogramo?

  Ⓐ una rebanada de pan   Ⓑ una silla

  Ⓒ una sandía   Ⓓ una bolsa de papel

  Ⓔ un conejo   Ⓕ anteojos

5 Un clip tiene una masa de 1 gramo. Estima la masa de una rebanada de pan y explica cómo la calculaste.

Masa estimada:

6 Una botella de agua tiene una masa de 1 kilogramo. Estima la masa de un gato y explica cómo la calculaste.

Masa estimada:

7 George dice que su bicicleta tiene una masa de 15 gramos. Janet dice que la bicicleta tiene una masa de 15 kilogramos. ¿Quién crees que tiene razón? ¿Por qué crees que es así?

8 George quita la rueda delantera de la bicicleta del problema 7 y halla su masa. ¿Cuál podría ser la masa de la rueda? Explica tu razonamiento.

Desarrolla Resolver problemas verbales de masa

Lee el siguiente problema y trata de resolverlo.

> Nick tiene una naranja que tiene una masa de 220 gramos y una manzana que tiene una masa de 110 gramos. ¿Cuál es la masa de la naranja y la manzana combinadas?

PRUÉBALO

Herramientas matemáticas

- bloques de base diez
- balanza de platillos
- tablas de valor posicional de centenas
- papel cuadriculado de 1 centímetro
- notas adhesivas

CONVERSA CON UN COMPAÑERO

Pregúntale: ¿Cómo empezaste a resolver el problema?

Dile: Al principio, pensé que . . .

Explora diferentes maneras de entender cómo resolver problemas verbales de masa.

> Nick tiene una naranja que tiene una masa de 220 gramos y una manzana que tiene una masa de 110 gramos. ¿Cuál es la masa de la naranja y la manzana combinadas?

HAZ UN DIBUJO

Puedes usar una balanza para ayudarte a resolver el problema.

La siguiente balanza muestra la masa de la naranja.

La siguiente balanza muestra la masa de la manzana.

La siguiente balanza muestra la masa de la naranja y la manzana combinadas.
La naranja y la manzana están en un lado de la balanza y las pesas están en el otro lado.

CONÉCTALO

Ahora vas a usar el problema de la página anterior para ayudarte a entender cómo resolver problemas verbales de masa.

1 ¿Cómo decidiste qué operación usar para resolver este problema?

2 Mira la balanza en Haz un dibujo que muestra la naranja y la manzana juntas. ¿Qué muestra el dibujo que podría ayudarte a resolver el problema?

3 Escribe una ecuación para resolver el problema. ¿Cuál es la masa de la naranja y la manzana combinadas?

4 Explica cómo podrías hacer una estimación para saber si tu respuesta tiene sentido.

5 Explica por qué el rótulo *gramos* debería ser parte de la respuesta a este problema.

6 REFLEXIONA

Repasa Pruébalo, las estrategias de tus compañeros y Haz un dibujo. ¿Qué modelos o estrategias prefieres para resolver problemas verbales de masa? Explica.

APLÍCALO

Usa lo que acabas de aprender para resolver estos problemas.

7 Jeff tiene 40 gramos de semillas para pájaros. Comparte las semillas por igual entre 4 pájaros. ¿Cuántos gramos de semillas recibirá cada pájaro? Muestra tu trabajo.

Solución ....

8 Micah tiene dos caballos. Uno de los caballos tiene una masa de 493 kilogramos y el otro tiene una masa de 381 kilogramos. ¿Cuál es la diferencia de masa entre los dos caballos? Muestra tu trabajo.

Solución ....

9 Jasmine tiene 30 monedas de 5¢. Cada moneda de 5¢ tiene una masa de 5 gramos. ¿Cuál es la masa total de las monedas de 5¢ de Jasmine? Muestra tu trabajo.

Solución ....

Practica resolver problemas verbales de masa

Estudia el Ejemplo, que muestra cómo resolver un problema verbal de masa. Luego resuelve los problemas 1 a 7.

EJEMPLO

Una casita de árbol es lo suficientemente fuerte para soportar hasta 300 kilogramos de manera segura. ¿Pueden 8 niños, cada uno con una masa de aproximadamente 30 kilogramos, estar en la casita de árbol al mismo tiempo?

$$8 \times 30 = 8 \times 3 \times 10$$
$$= 24 \times 10$$
$$= 240$$

Los 8 niños tienen una masa total de aproximadamente 240 kilogramos. 240 kilogramos es menor que 300 kilogramos.

Los 8 niños pueden estar en la casita de árbol al mismo tiempo.

1 John tiene una bolsa de canicas que tiene una masa de 200 gramos. Mark tiene una bolsa de canicas que tiene una masa de 215 gramos. ¿Cuál es la masa de las dos bolsas de canicas combinadas?

La masa combinada es de ....

2 Brenda tiene dos perros. Su masa es de 27 kilogramos y 33 kilogramos. ¿Cuál es la masa combinada de los dos perros?

La masa combinada es de ....

3 Joe está quitando nieve con una pala. Estima que levanta 3 kilogramos de nieve con cada pala llena. ¿Cuál es la masa total que levanta con 80 palas llenas?

La masa total es de aproximadamente ....

4   Una planta tiene una masa de 15 kilogramos. Barbara compra 3 plantas que tienen exactamente la misma masa. ¿Cuál es la masa de todas las plantas combinadas? Escribe una ecuación para resolver el problema. Muestra tu trabajo.

Solución ....

5   La lonchera llena de Kara pesa 815 gramos. La lonchera llena de Ben pesa 900 gramos. ¿Cuánto más liviana es la lonchera de Kara? Muestra tu trabajo.

Solución ....

6   Mark tiene 8 paquetes de pretzels en una bolsa de papel. Cada paquete de pretzels pesa 90 gramos. La bolsa pesa 85 gramos. ¿Cuál es la masa de la bolsa de papel que contiene los pretzels? Muestra tu trabajo.

Solución ....

7   La bolsa de compras de tela de Kathy puede soportar 16 kilogramos sin romperse. Compra jugo, sopa y arroz en la tienda. La tabla muestra la masa de 1 de cada artículo. ¿Cuál es una manera en la que puede llenar la bolsa con estos artículos? Muestra tu trabajo.

Artículo	Masa
jugo	2 kilogramos
sopa	1 kilogramo
bolsa de arroz	5 kilogramos

Solución ....

Refina Comprender la masa

Completa el Ejemplo siguiente. Luego resuelve los problemas 1 a 8.

EJEMPLO

Max tiene una pelota de futbol que tiene una masa de 445 gramos y una pelota de beisbol que tiene una masa de 142 gramos. ¿Cuál es la diferencia de masa entre las pelotas?

Mira cómo podrías mostrar tu trabajo usando una ecuación.

$$445 - 142 = 303$$

Solución ....

El estudiante escribió una ecuación de resta para hallar la diferencia de masa.

EN PAREJA

¿De qué otra manera podrías resolver este problema?

APLÍCALO

1. La mamá de Ruby compra 4 bolsas de papas. Cada bolsa tiene una masa de 4 kilogramos. ¿Cuál es la masa total de las 4 bolsas? Muestra tu trabajo.

Hay 4 bolsas con 4 kilogramos de papas en cada una. Eso me recuerda que debo usar grupos iguales.

EN PAREJA

¿Cómo decidiste qué operación usar para resolver el problema?

Solución ....

2 Jane tiene un sándwich y una banana para el almuerzo. La masa del sándwich es de 140 gramos. La masa de la banana es de 130 gramos. ¿Cuál es la masa total del sándwich y la banana? Muestra tu trabajo.

No olvides rotular tu respuesta. ¿Hallas la masa total en gramos o en kilogramos?

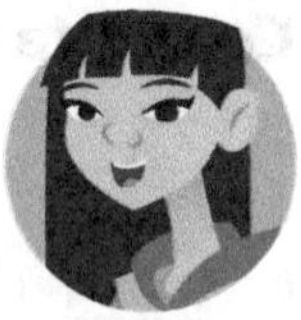

EN PAREJA
¿Qué pregunta podrías hacer que se resolviera con una ecuación de resta?

Solución ....

3 El papá de Brock compra una bolsa de arroz de 10 kilogramos. Luego divide el arroz por igual en 5 bolsas más pequeñas. ¿Cuántos kilogramos de arroz tiene cada bolsa pequeña?

Ⓐ 2 kilogramos

Ⓑ 5 kilogramos

Ⓒ 15 kilogramos

Ⓓ 50 kilogramos

¿La cantidad en cada bolsa más pequeña será mayor que o menor que 10 kilogramos?

Felicia eligió Ⓓ como la respuesta correcta. ¿Cómo obtuvo ella esa respuesta?

EN PAREJA
¿Tiene sentido la respuesta de Felicia?

4 ¿Cuál es la mejor estimación para la masa de una sandía?

Ⓐ   30 kilogramos

Ⓑ   3 kilogramos

Ⓒ   30 gramos

Ⓓ   3 gramos

5 ¿Qué objetos tienen una masa de aproximadamente 1 gramo?

Ⓐ   liga

Ⓑ   caja de crayones

Ⓒ   tijeras

Ⓓ   billete de un dólar

Ⓔ   libro

6 La bolsa de compras parcialmente llena de la Sra. Martin tiene una masa de 4 kilogramos. Luego agrega papas a su bolsa. La balanza muestra la masa de las papas. ¿Cuál es la masa de la bolsa, en kilogramos, después de agregar las papas?

7 El entrenador de futbol de Margo lleva una caja con sandías pequeñas a la práctica. La masa de la caja con todas las sandías es de 12 kilogramos.

Estima el número de sandías que hay en la caja. Muestra tu trabajo y explica qué hiciste en cada paso.

Hay aproximadamente .... sandías en la caja.

8 DIARIO DE MATEMÁTICAS

Escribe un problema verbal de masa que puedas resolver usando la suma o la resta. Explica cómo hallar la respuesta.

 COMPRUEBA TU PROGRESO Vuelve al comienzo de la Unidad 5 y mira qué destrezas puedes marcar.

En esta unidad aprendiste a . . .

Destreza	Lección
Decir y escribir la hora al minuto más cercano en relojes digitales y en relojes que tienen manecillas, y resolver problemas que tratan sobre el tiempo.	27
Estimar el volumen líquido y resolver problemas que tratan sobre el volumen líquido.	28
Estimar la masa y resolver problemas que tratan sobre la masa.	29

Piensa en lo que has aprendido.

Usa palabras, números y dibujos.

1 Tres ejemplos de lo que aprendí son . . .

2 Un error que cometí que me ayudó a aprender fue . . .

3 Algo que aún me confunde es . . .

Resuelve problemas sobre medición

Estudia un problema y su solución

EPM 1 Entender problemas y perseverar en resolverlos.

Lee este problema sobre medidas. Luego estudia cómo Max resolvió el problema.

Refrigerios de Max

Max tiene su computadora portátil y su carpeta en su mochila. También quiere empacar muchos refrigerios. Puede empacar refrigerios con una masa de hasta 1,000 gramos. De esta manera, la mochila no será tan pesada.

Opciones de refrigerios

naranja – 95 g
bolsa de galletas – 424 g
barra de granola – 22 g
banana – 124 g
sándwich gigante – 365 g

caja de galletas saladas – 338 g
manzana – 142 g
bolsa de almendras – 42 g
mantequilla de maní – 345 g

Elige los refrigerios que Max puede empacar. Puedes usar un artículo más de una vez. Da la masa total de los refrigerios. Muestra que tu solución tiene sentido.

Lee la solución que aparece en la página siguiente. Luego mira la lista de chequeo de abajo. Marca las partes de la solución que corresponden a la lista.

☑ LISTA DE CHEQUEO PARA LA SOLUCIÓN DE PROBLEMAS

☐ Di lo que se sabe.

☐ Di lo que pide el problema.

☐ Muestra todo tu trabajo.

☐ Muestra que la solución tiene sentido.

a. Haz un círculo alrededor de lo que se sabe.

b. Subraya las cosas que hace falta averiguar.

c. Encierra en un cuadro lo que se hace para resolver el problema.

d. Pon una marca ✓ junto a la parte que muestra que la solución tiene sentido.

LA SOLUCIÓN DE MAX

Hola, soy Max. Así fue como resolví este problema.

- **Conozco la masa de cada refrigerio.**

  Elegiré mi refrigerio preferido y sumaré las masas.

- **Realmente quiero mi sándwich gigante y una manzana.**

$$\begin{array}{r} 365 \\ +142 \\ \hline 7 \\ 100 \\ +400 \\ \hline 507 \end{array}$$ sándwich
manzana

Aún puedo agregar cerca de 500 gramos más de comida.

507 es cerca de 500 y 500 + 500 es 1,000.

- **Me encanta la mantequilla de maní y las bananas.**

$$\begin{array}{r} 345 \\ +124 \\ \hline 469 \end{array}$$ mantequilla de maní
banana

- **Puedo sumar para ver cuál es el total para los 4 artículos.**

$$\begin{array}{r} 507 \\ +469 \\ \hline 16 \\ 60 \\ +900 \\ \hline 976 \end{array}$$

- **Sumo para ver cuánto falta.**

  976 + 4 es 980 y 20 más es 1,000.

  Por lo tanto, me faltan 24 gramos.

- **Parece que aún tengo espacio para una barra de granola.**

$$\begin{array}{r} 976 \\ +22 \\ \hline 998 \end{array}$$ barra de granola

Me gusta quedar tan cerca de 1,000 gramos.

- **El total es 2 gramos menos que 1,000.**

  No puedo empacar nada más. Empacaré un sándwich gigante, una manzana, una banana, mantequilla de maní y una barra de granola.

Prueba otro método

Hay muchas maneras de resolver problemas. Piensa en cómo podrías resolver el problema de los "Refrigerios de Max" de una manera distinta.

Refrigerios de Max

Max tiene su computadora portátil y su carpeta en su mochila. También quiere empacar muchos refrigerios. Puede empacar refrigerios con una masa de hasta 1,000 gramos. De esta manera, la mochila no será tan pesada.

Opciones de refrigerios

naranja – 95 g

bolsa de galletas – 424 g

barra de granola – 22 g

banana – 124 g

sándwich gigante – 365 g

caja de galletas saladas – 338 g

manzana – 142 g

bolsa de almendras – 42 g

mantequilla de maní – 345 g

Elige los refrigerios que Max puede empacar. Puedes usar un artículo más de una vez. Da la masa total de los refrigerios. Muestra que tu solución tiene sentido.

PLANEA

Contesta las siguientes preguntas para empezar a pensar en un plan.

A. ¿Podrías resolver el problema si comienzas con 1,000 gramos? Explica.

B. ¿Quieres muchos refrigerios más livianos o menos refrigerios más pesados?

RESUELVE

Halla una solución distinta al problema de los "Refrigerios de Max". Muestra todo tu trabajo en una hoja de papel aparte.

Tal vez quieras usar las sugerencias de abajo para empezar.

SUGERENCIAS PARA RESOLVER PROBLEMAS

- **Modelos**

- **Banco de palabras**

sumar	total	masa
restar	diferencia	gramos

- **Oraciones modelo**

• Puedo comenzar con _____

• Quiero empacar _____

☑ LISTA DE CHEQUEO PARA LA SOLUCIÓN DE PROBLEMAS

Asegúrate de . . .
- ☐ decir lo que se sabe.
- ☐ decir lo que pide el problema.
- ☐ mostrar todo tu trabajo.
- ☐ mostrar que la solución tiene sentido.

REFLEXIONA

Usa las prácticas matemáticas Elige una de las siguientes preguntas y coméntala con un compañero.

• **Razona matemáticamente** ¿Qué estrategias puedes usar para sumar o restar?

• **Persevera** ¿De qué otras maneras podrías comenzar tu solución?

Comenta modelos y estrategias

Lee el problema. Escribe una solución en una hoja de papel aparte.
Recuerda que puede haber muchas maneras de resolver un problema.

Mezcla de frutos secos de Max

Max prepara su mezcla de frutos secos preferida. La compartirá con sus amigos. No recuerda la cantidad exacta de cada ingrediente. Max escribe lo que recuerda.

Mezcla de frutos secos y miel

Ingredientes

cereal de avena y miel

maníes

pasas

mantequilla de maní

miel

Notas de la mezcla de frutos secos

- Todos los ingredientes se miden en gramos.
- El ingrediente con la mayor masa son los maníes.
- Usar menos de 50 gramos de cereal.
- Usar menos de 100 gramos de mantequilla de maní.
- La cantidad de mantequilla de maní es cerca del doble de la cantidad de miel.
- La masa total de todos los ingredientes es de cerca de 500 gramos.

¿Cuánto de cada ingrediente debería usar Max en su mezcla de frutos secos?

PLANEA Y RESUELVE

Halla una solución al problema de la "Mezcla de frutos secos de Max".

Escribe una receta para la "Mezcla de frutos secos de Max". Asegúrate de incluir:

• la cantidad de cada ingrediente.

• cómo decidiste cada cantidad.

• la masa total de frutos secos que preparará Max.

Tal vez quieras usar las sugerencias de abajo para empezar.

SUGERENCIAS PARA RESOLVER PROBLEMAS →

● **Preguntas**

• ¿Cómo podrías usar la estimación en tu solución?

• ¿Qué números podrías usar con los que sea fácil trabajar?

● **Oraciones modelo**

• Puedo comenzar con _____

• La masa de los maníes _____

☑ **LISTA DE CHEQUEO PARA LA SOLUCIÓN DE PROBLEMAS**

Asegúrate de . . .

☐ decir lo que se sabe.

☐ decir lo que pide el problema.

☐ mostrar todo tu trabajo.

☐ mostrar que la solución tiene sentido.

REFLEXIONA

Usa las prácticas matemáticas Elige una de las siguientes preguntas y coméntala con un compañero.

• **Entiende los problemas** ¿En qué se parece esto a otros problemas que ya resolviste en esta lección? ¿En qué es diferente?

• **Construye un argumento** ¿Cómo puedes asegurarte de que tu solución tiene sentido usando toda la información que escribió Max?

Persevera por tu cuenta

Lee el problema. Escribe una solución en una hoja de papel aparte.

Refrigerios de sopa

Max planea hacer sopa de tomate. Con su receta se pueden preparar 24 litros de sopa. Congelará la sopa en recipientes. Entonces tendrá muchos refrigerios de sopa listos para comer.

Max quiere comprar algunos recipientes de 1 litro para la sopa. Puede comprar distintos paquetes de recipientes de 1 litro.

- paquete de 4 recipientes
- paquete de 5 recipientes
- paquete de 6 recipientes

¿Qué paquetes debería comprar Max?

RESUELVE

Di a Max qué paquetes comprar.

- Di cuántos recipientes necesita Max.

- Di qué paquetes debería comprar Max.

- Di cuántos de cada paquete debería comprar.

- Muestra por qué tu solución da el número exacto de recipientes que Max necesita.

REFLEXIONA

Usa las prácticas matemáticas Elige una de las siguientes preguntas y coméntala con un compañero.

- **Razona matemáticamente** ¿Cómo sabes con solo mirar los números si un paquete servirá o no?

- **Usa modelos** ¿Cómo usaste datos básicos para hallar una solución?

Lista de tareas domésticas

Max tiene un sábado muy ocupado. Hace una lista de la tareas domésticas que debe hacer y cuántos minutos le tomará cada una.

Sale a un juego de básquetbol a las 2:22 p. m.

Max quiere hacer al menos dos tareas domésticas antes de irse al juego.

Comienza a hacer sus tareas a la 1:33 p. m.

Lista de tareas domésticas

Limpiar mi cuarto	15 min
Hacer la tarea	35 min
Ayudar a mamá	25 min
Lavar los platos	10 min

¿Qué tareas domésticas podría hacer Max antes de irse a su juego de básquetbol?

RESUELVE

Ayuda a Max a decidir qué tareas domésticas hacer antes del juego.

• Di qué tareas puede hacer Max antes del juego.

• Explica tus elecciones.

• Muestra por qué tu solución tiene sentido.

REFLEXIONA

Usa las prácticas matemáticas Cuando termines, elige una de las siguientes preguntas y coméntala con un compañero.

• **Usa modelos** ¿Qué modelos usaste?

• **Razona usando números** ¿Cómo podría ayudarte una estimación a comenzar a resolver este problema?

1 El Sr. Jones prepara 19 litros de refresco de frutas para una fiesta. Necesita 36 litros de refresco de frutas. ¿Cuántos litros más de refresco de frutas debe preparar para la fiesta? Muestra tu trabajo.

Solución ....

2 Decide si en cada envase caben más de 3 litros. Elige *Sí* o *No* para cada envase.

	Sí	No
taza de té	Ⓐ	Ⓑ
botella de champú	Ⓒ	Ⓓ
bañera	Ⓔ	Ⓕ
acuario para peces	Ⓖ	Ⓗ
envase de jugo	Ⓘ	Ⓙ

3 Angelica salió de casa a las 7:48 a. m. Le tomó 27 minutos llegar a la escuela. ¿A qué hora llegó Angelica a la escuela?

Ⓐ 8:27 a. m.

Ⓑ 8:21 a. m.

Ⓒ 8:15 a. m.

Ⓓ 8:08 a. m.

4 ¿Estimarías la masa de un vaso de plástico usando gramos o kilogramos? Explica por qué elegiste tu respuesta.

....

....

....

....

Solución ....

5 Danielle trabaja en una panadería. Necesita separar 42 kilogramos de harina en 6 envases pequeños. Si separa la harina en cantidades iguales, ¿cuántos kilogramos de harina colocará en cada envase? Muestra tu trabajo.

Solución ....

6 El reloj muestra la hora en la que Ken come su cena.

¿A qué hora come su cena Ken? Explica tu respuesta.

....

....

....

Prueba de rendimiento

Contesta la pregunta y muestra todo tu trabajo en una hoja de papel aparte.

Darian entrega compras a los acuarios. Mañana tiene que hacer 3 entregas. Solo puede hacer 2 entregas antes de volver a la tienda para recoger más compras. Quiere terminar las tres entregas y estar de vuelta en la tienda a las 3 p. m.

- Una entrega a Peces marinos toma 35 minutos.

- Una entrega a Mundo submarino toma 40 minutos.

- Una entrega a Bajo el mar toma 1 hora.

- Recoger más compras en la tienda toma 10 minutos.

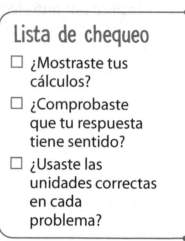

Lista de chequeo

- ☐ ¿Mostraste tus cálculos?
- ☐ ¿Comprobaste que tu respuesta tiene sentido?
- ☐ ¿Usaste las unidades correctas en cada problema?

Los tiempos de arriba no incluyen el tiempo de viaje. Este mapa muestra el tiempo que le toma a Darian conducir entre los lugares.

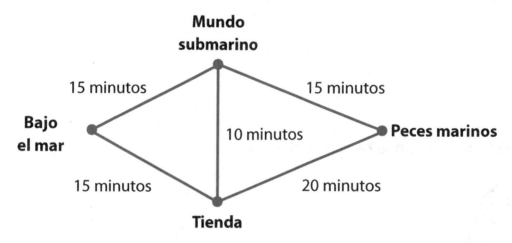

Describe o muestra una ruta que podría tomar Darian para hacer las tres entregas. ¿Cuál es la última hora en la que Darian debería comenzar a hacer entregas para que pueda terminar y estar de vuelta en la tienda a las 3 p. m.?

REFLEXIONA

Usa las prácticas matemáticas Cuando termines, escoge una de estas preguntas y contéstala.

- **Razona matemáticamente** ¿Qué información necesitaste hallar antes de decidirte por una ruta?

- **Usa herramientas** ¿Cómo se puede usar un reloj para hallar la hora en la que Darian termina cada entrega?

Dibuja o escribe para dar un ejemplo de cada término. Luego dibuja o escribe para mostrar otras palabras de matemáticas de la unidad.

gramo (g) unidad de masa del sistema métrico. Un clip tiene una masa de aproximadamente 1 gramo. Hay 1,000 gramos en 1 kilogramo.

Mi ejemplo

kilogramo (kg) unidad de masa del sistema métrico. Hay 1,000 gramos en 1 kilogramo.

Mi ejemplo

litro (L) unidad de volumen líquido del sistema métrico. Hay 1,000 mililitros en 1 litro.

Mi ejemplo

masa cantidad de materia que hay en un objeto. Medir la masa de un objeto es una manera de medir lo pesado que es. El gramo y el kilogramo son unidades de masa.

Mi ejemplo

minuto (min) unidad de tiempo. Hay 60 minutos en 1 hora y 60 segundos en 1 minuto.

Mi ejemplo

tiempo transcurrido tiempo que ha pasado entre el momento de inicio y el fin.

Mi ejemplo

volumen líquido   cantidad de espacio que ocupa un líquido.

Mi ejemplo

Mi palabra: _____

_____

_____

Mi ejemplo

Mi palabra: _____

_____

_____

Mi ejemplo

Mi palabra: _____

_____

_____

Mi ejemplo

Mi palabra: _____

_____

_____

Mi ejemplo

Mi palabra: _____

_____

_____

Mi ejemplo

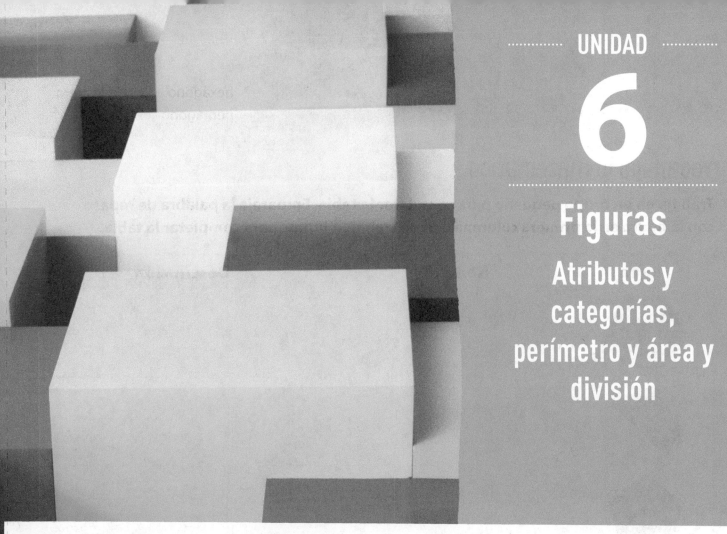

☑ COMPRUEBA TU PROGRESO

Antes de comenzar esta unidad, marca las destrezas que ya conoces. Al terminar cada lección, comprueba si puedes marcar otras.

Puedo . . .	Antes	Después
Describir figuras, compararlas y colocarlas en grupos que digan en qué se parecen, por ejemplo: según su número de lados o si tienen ángulos rectos.	☐	☐
Comparar cuadriláteros y colocarlos en grupos según sus atributos, por ejemplo: los 4 lados tienen la misma longitud o tiene 2 pares de lados paralelos.	☐	☐
Resolver problemas sobre perímetros, incluido hallar una longitud de lado desconocida, y hallar rectángulos que tengan el mismo perímetro y distintas áreas o la misma área y diferentes perímetros.	☐	☐
Dividir rectángulos en partes de igual área y nombrar el área de las partes sombreadas usando fracciones unitarias.	☐	☐

Amplía tu vocabulario

Vocabulario matemático

Trabaja en un grupo pequeño para completar la tabla. Empareja la palabra de repaso con la figura en la primera columna. Luego trabajen juntos para completar la tabla.

Figura	Nombre	Descripción

Vocabulario académico

Pon una marca junto a las palabras académicas que ya conoces. Luego usa las palabras para completar las oraciones.

☐ en común   ☐ describir   ☐ clasificar   ☐ identificar

1 Cuando .... un triángulo, digo que tiene tres lados y tres ángulos.

2 Un cuadrilátero y un rombo tienen algo .... : ambos tienen cuatro lados.

3 Estamos aprendiendo a .... las plantas según sus características.

4 Puedo .... un hexágono contando el número de lados y ángulos.

Comprende Categorías de figuras

Estimada familia:

Esta semana su niño está explorando cómo se llaman y se agrupan las figuras de acuerdo con sus propiedades.

Un **rectángulo** es cualquier cuadrilátero que tiene 4 ángulos rectos.

Un **rombo** es cualquier cuadrilátero que tiene 4 lados que tienen la misma longitud.

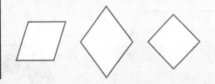

Las siguientes tablas muestran una manera de clasificar las figuras según algunas de sus propiedades. La parte de la izquierda tiene figuras que tienen 4 ángulos rectos. La parte de la derecha tiene figuras con 4 lados que tienen la misma longitud. La tabla de abajo muestra figuras que tienen 4 ángulos rectos y que tienen la misma longitud. Esa tabla indica que un cuadrado también es un rectángulo y un rombo.

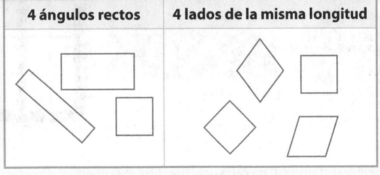

4 ángulos rectos	4 lados de la misma longitud

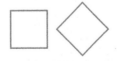

4 ángulos rectos y 4 lados de la misma longitud

Invite a su niño a compartir lo que sabe sobre las figuras haciendo juntos la siguiente actividad.

ACTIVIDAD DESCRIBIR FIGURAS

Haga la siguiente actividad con su niño para ayudarlo a comprender las categorías de la figuras.

Dé apoyo a su niño mientras aprende a reconocer las propiedades de diferentes figuras haciendo juntos esta actividad.

Busque figuras planas en su casa, como espejos, tapetes, baldosas, etc. Como punto de partida, mire las figuras en los dibujos de abajo.

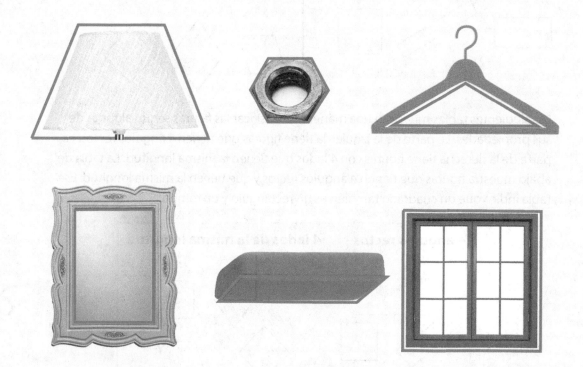

Túrnense para describir las figuras. Para cada una, describa lo siguiente:
- el número de lados
- la longitud de los lados
- la longitud de los lados opuestos
- el número de ángulos
- el número de ángulos rectos

Luego elija dos figuras. ¿En qué se parecen? ¿En qué son diferentes?

Ahora busquen otras figuras similares en su casa y comenten de manera similar las semejanzas y las diferencias.

Explora Categorías de figuras

¿Cómo te ayudan los lados y los ángulos a nombrar y agrupar figuras?

HAZ UN MODELO

Completa los problemas de abajo.

1 Una manera de nombrar o agrupar figuras que se parecen en algo es según el número de lados. Por ejemplo, esta figura tiene 3 lados.

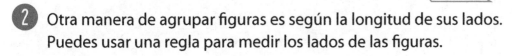

Escribe el nombre de esta figura. ....

2 Otra manera de agrupar figuras es según la longitud de sus lados. Puedes usar una regla para medir los lados de las figuras.

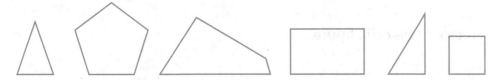

a. Escribe *N* en las figuras de arriba que no tengan lados de la misma longitud.

b. Escribe *A* en las figuras de arriba que tengan algunos lados de la misma longitud.

c. Escribe *T* en las figuras de arriba que tengan todos los lados de la misma longitud.

3 Los lados opuestos de un cuadrilátero no se tocan. Encierra en un círculo las figuras que tengan lados opuestos de la misma longitud.

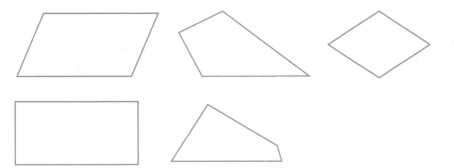

CONVERSA CON UN COMPAÑERO

• ¿Tienen tu compañero y tú las mismas respuestas para el problema 2?

• Creo que los lados de una figura pueden ayudarte a nombrar y agrupar figuras porque . . .

HAZ UN MODELO

Completa los problemas de abajo.

4 También puedes usar el número y el tipo de ángulos o esquinas para nombrar y agrupar figuras. Los ángulos que parecen esquinas de un cuadrado se llaman **ángulos rectos**. Las figuras pueden no tener ningún ángulo recto, tener algunos ángulos rectos o todos los ángulos rectos.

ángulos rectos

a. Di cuántos ángulos tiene cada figura.

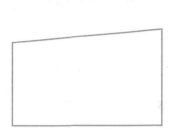

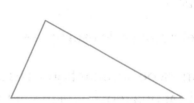

b. Di cuántos ángulos rectos tiene cada figura.

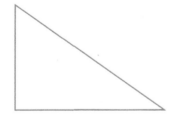

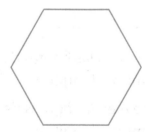

CONVERSA CON UN COMPAÑERO

- ¿Tuviste problemas para decidir qué ángulos eran ángulos rectos?

- Creo que usar ángulos para nombrar y agrupar figuras es como usar lados porque . . .

5 REFLEXIONA

¿Cuáles son algunas maneras de nombrar o agrupar figuras?

Prepárate para explorar categorías de figuras

1 Piensa en lo que sabes acerca de las figuras. Llena cada recuadro. Usa palabras, números y dibujos. Muestra tantas ideas como puedas.

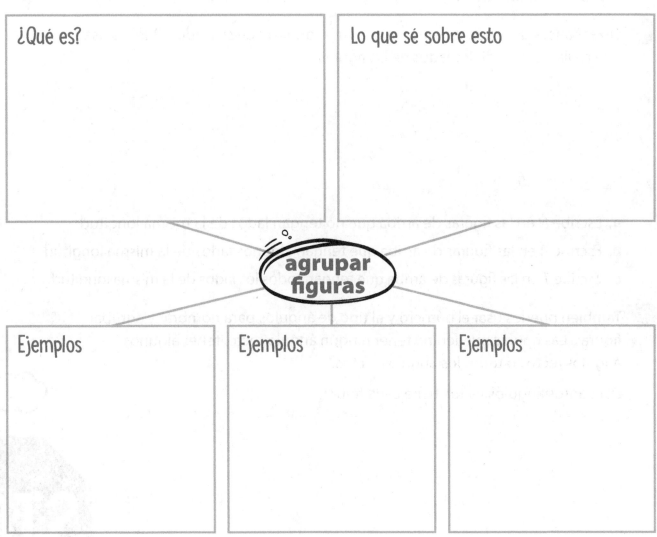

¿Qué es?

Lo que sé sobre esto

agrupar figuras

Ejemplos

Ejemplos

Ejemplos

2 Puedes usar los lados opuestos para agrupar figuras. En las siguientes figuras, los lados opuestos son los lados que no se tocan. Encierra en un círculo las figuras que tengan lados opuestos de la misma longitud.

Resuelve.

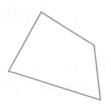

3 Una manera de nombrar o agrupar figuras es según el número de lados. Por ejemplo, esta figura tiene 4 lados.

Escribe el nombre de esta figura. ....

4 Otra manera de agrupar figuras es según la longitud de sus lados. Puedes usar una regla para medir los lados de las figuras.

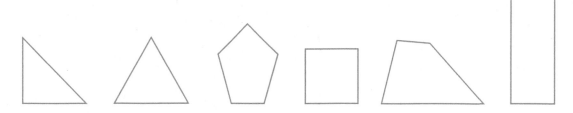

a. Escribe *N* en las figuras de arriba que no tengan lados de la misma longitud.

b. Escribe *A* en las figuras de arriba que tengan algunos lados de la misma longitud.

c. Escribe *T* en las figuras de arriba que tengan todos los lados de la misma longitud.

5 También puedes usar el número y el tipo de ángulos para nombrar y agrupar figuras. Las figuras pueden no tener ningún ángulo recto, tener algunos ángulos rectos o todos los ángulos rectos.

Di cuántos ángulos rectos tiene cada figura.

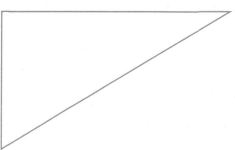

Desarrolla Comprender comparar figuras

HAZ UN MODELO: CLASIFICAR FIGURAS

Usa las siguientes figuras para los problemas 1 y 2.

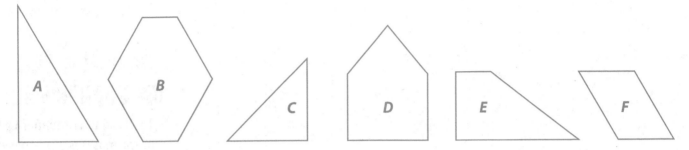

A   B   C   D   E   F

1 Mira los lados y los ángulos de las figuras para clasificarlas en los siguientes grupos. Escribe la letra de cada figura en la columna correcta. Algunas figuras quizás pertenezcan a ambos grupos.

Algunos ángulos rectos	Algunos lados de la misma longitud

2 Usa tu respuesta al problema 1 para elegir las figuras que pertenecen al siguiente grupo.

Algunos ángulos rectos y algunos lados de la misma longitud.

©Curriculum Associates, LLC   Se prohíbe la reproducción.

Lección 30 *Comprende* Categorías de figuras   **681**

HAZ UN MODELO: DESCRIBIR FIGURAS

Completa el siguiente problema.

3 Describe los lados y los ángulos de cada triángulo de tantas maneras como puedas.

a.

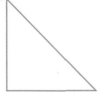

b.

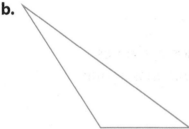

CONVERSA CON UN COMPAÑERO

• ¿Hicieron tu compañero y tú las mismas descripciones en el problema 3?

• Creo que describir figuras es como clasificar figuras porque . . .

CONÉCTALO

Completa los problemas de abajo.

4 ¿Cómo te ayudó clasificar las figuras de los problemas 1 y 2 de la página anterior a describir los triángulos del problema 3 de arriba?

5 Describe dos grupos a los que pertenezcan ambos triángulos del problema 3.

Practica comparar figuras

Estudia cómo el Ejemplo muestra la comparación de figuras según el número de ángulos rectos y según la longitud de los lados. Luego resuelve los problemas 1 a 6.

EJEMPLO

¿Qué figuras tienen al menos un ángulo recto?

Un ángulo recto es un ángulo que se parece a la esquina de un cuadrado.

triángulo   cuadrado   rectángulo

El cuadrado y el rectángulo tienen 4 ángulos rectos cada uno.

rombo   triángulo   triángulo

El triángulo *F* tiene 1 ángulo recto.

Usa las figuras de arriba para resolver los problemas 1 y 2.

1   Clasifica las figuras de arriba en los siguientes grupos. Escribe la letra de cada figura en la columna correcta.

Todos los lados de la misma longitud	Solo algunos lados de la misma longitud	Todos los lados de diferente longitud

2   ¿Tienen todos los triángulos de arriba ángulos rectos? Explica.

Usa los dos cuadriláteros de abajo para los problemas 3 a 5.

3   Describe los lados y los ángulos del cuadrilátero *A* de tantas maneras como puedas.

4   Describe los lados y los ángulos del cuadrilátero *B* de tantas maneras como puedas.

5   Describe dos grupos a los que pertenezcan ambos cuadriláteros.

6   Escribe el nombre de dos grupos diferentes a los que pertenezca cada figura.

a.

b.

   ©Curriculum Associates, LLC   Se prohíbe la reproducción.

Refina Ideas acerca de comparar figuras

APLÍCALO

Completa estos problemas por tu cuenta.

1 COMPARA

Piensa en qué se parecen y en qué son diferentes estas figuras. Puedes usar una regla para medir los lados.

Describe dos maneras en las que estas figuras se parecen.

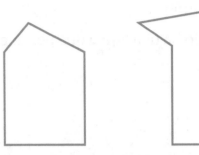

Describe dos maneras en las que estas figuras son diferentes.

2 EXPLICA

Gwen dice que todos los rectángulos pertenecen al grupo *algunos ángulos rectos*. Li dice que todos los rectángulos pertenecen al grupo *todos los ángulos rectos*. ¿Quién tiene razón? Explica.

3 REPRESENTA

Dibuja una figura que pertenezca a ambos grupos: *todos los lados de la misma longitud* y *ningún ángulo recto.*

EN PAREJA
Comenta con un compañero tus soluciones a estos tres problemas.

Usa lo que aprendiste para resolver el problema 4.

4 Piensa acerca de las maneras en que agrupaste figuras en esta lección.

Parte A Piensa en dos maneras diferentes en las que puedas agrupar figuras. Describe cada grupo en las líneas de abajo.

Grupo 1: ....

Grupo 2: ....

Dibuja una figura que pertenezca a un grupo pero no al otro.

Di a qué grupo pertenece la figura. Luego explica por qué no pertenece al otro grupo.

Parte B Dibuja una figura que pertenezca a ambos grupos en la Parte A, o explica por qué no hay figuras que pertenezcan a ambos grupos.

5 DIARIO DE MATEMÁTICAS

Nombra un grupo al que pertenezca la figura *A* pero no la figura *B*. Luego nombra un grupo al que pertenezca la figura *B* pero no la figura *A*. Después nombra un grupo al que pertenezcan ambas figuras.

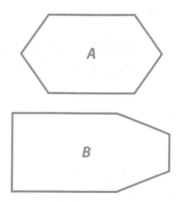

Clasifica cuadriláteros

Estimada familia:

Esta semana su niño está aprendiendo a clasificar cuadriláteros.

Un cuadrilátero es cualquier figura plana con 4 lados y 4 ángulos. Puede usar los **atributos** o características de una figura para describirla, como el número de lados o la longitud de los lados.

Los paralelogramos, los rectángulos y los rombos son todos ejemplos de cuadriláteros. Un **paralelogramo** es un cuadrilátero que tiene lados opuestos paralelos y de la misma longitud. Todos los rectángulos y los rombos son paralelogramos.

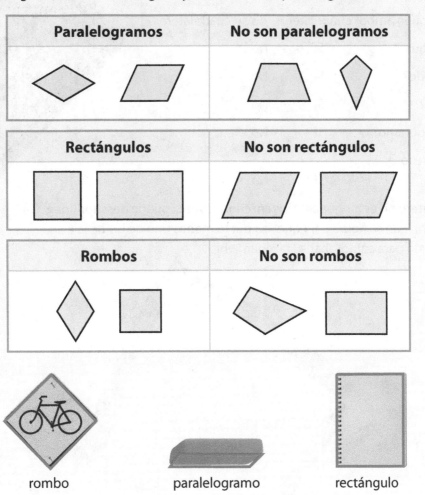

Paralelogramos	No son paralelogramos

Rectángulos	No son rectángulos

Rombos	No son rombos

rombo   paralelogramo   rectángulo

Invite a su niño a compartir lo que sabe sobre clasificar cuadriláteros haciendo juntos la siguiente actividad.

ACTIVIDAD CLASIFICAR CUADRILÁTEROS

Haga la siguiente actividad con su niño para explorar clasificar cuadriláteros.

Materiales 8 instrumentos de escritura diferentes, como bolígrafos, lápices, marcadores, crayones (4 deben tener la misma longitud)

Invite a su niño a formar un cuadrilátero usando 4 de los instrumentos de escritura como los lados de la figura. Usted debe formar un cuadrilátero con los otros 4. Vea los ejemplos que se muestran abajo.

Juntos, describan sus cuadriláteros. Por ejemplo:

- Digan el número de ángulos rectos.

- Hallen si hay lados opuestos que tengan la misma longitud.

Ahora clasifiquen ambos cuadriláteros. ¿Es su cuadrilátero

- un rectángulo?   Sí   No

- un cuadrado?   Sí   No

- un rombo?   Sí   No

- un paralelogramo?   Sí   No

- ninguno de los
  anteriores?   Sí   No

Si su cuadrilátero no es ninguno de los anteriores, vea si puede descubrir qué debería cambiar en su figura para que sea por lo menos uno de los de la lista. ¡Intente hacerlo para comprobar su razonamiento!

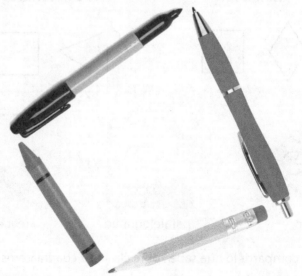

Explora Clasificar cuadriláteros

Antes comparaste figuras y las agrupaste. En esta lección vas a aprender a agrupar cuadriláteros. Usa lo que sabes para tratar de resolver el siguiente problema.

Objetivo de aprendizaje

• Comprender que las figuras geométricas en diferentes categorías pueden tener atributos en común y que los atributos que comparten pueden definir una categoría más amplia. **Reconocer los rombos, los rectángulos y los cuadrados como ejemplos de cuadriláteros, y dibujar ejemplos de cuadriláteros que no pertenecen a ninguna de estas subcategorías.**

EPM 1, 2, 3, 4, 5, 6, 7

Un rombo es un tipo de cuadrilátero. Un rectángulo es otro tipo de cuadrilátero. ¿En qué se parecen un rombo y un rectángulo? ¿En qué son diferentes?

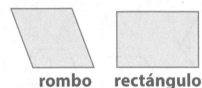

rombo   rectángulo

PRUÉBALO

Herramientas matemáticas 🧰

• geoplanos
• ligas
• papel cuadriculado
• tarjetas en blanco
• notas adhesivas

CONVERSA CON UN COMPAÑERO

Pregúntale: ¿Puedes explicarme eso otra vez?

Dile: Yo ya sabía que . . . así que . . .

CONÉCTALO

1 REPASA

¿En qué se parecen un rombo y un rectángulo? ¿En qué son diferentes?

2 SIGUE ADELANTE

Un cuadrilátero es una figura que tiene 4 lados y 4 ángulos. Las figuras de la derecha son cuadriláteros. Puedes nombrar un cuadrilátero según sus atributos. Un **atributo** es una manera de describir una figura.

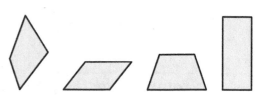

a. Un cuadrilátero es un **paralelogramo** si tiene los atributos *ambos pares de lados opuestos tienen la misma longitud* y *los lados opuestos son paralelos*. Los lados son **paralelos** si siempre tienen la misma distancia de separación.

Encierra en un círculo los paralelogramos:

b. Un cuadrilátero es un rectángulo si tiene 4 ángulos rectos. Un rectángulo también tiene 2 pares de lados opuestos que son paralelos y tienen la misma longitud.

Encierra en un círculo los rectángulos:

c. Un cuadrilátero es un rombo si tiene los 4 lados de la misma longitud. Un rombo también tiene 2 pares de lados paralelos.

Encierra en un círculo los rombos:

3 REFLEXIONA

Nombra 3 atributos que podría tener un cuadrilátero.

Prepárate para clasificar cuadriláteros

1 Piensa en lo que sabes acerca de los cuadriláteros. Llena cada recuadro. Usa palabras, números y dibujos. Muestra tantas ideas como puedas.

Palabra	En mis propias palabras	Ejemplo
cuadrilátero		
atributo		
paralelogramo		
rectángulo		
rombo		

2 Encierra en un círculo los paralelogramos. ¿Con qué otra palabra de arriba se pueden describir las figuras que encerraste en un círculo?

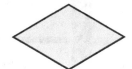  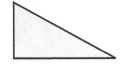

3 Resuelve el problema. Muestra tu trabajo.

Un paralelogramo es un tipo de cuadrilátero. Un cuadrado es otro tipo de cuadrilátero. ¿En qué se parecen un paralelogramo y un cuadrado? ¿En qué son diferentes?

paralelogramo **cuadrado**

Solución ....

....

....

4 Comprueba tu respuesta. Muestra tu trabajo.

Desarrolla Comparar cuadriláteros

Lee el siguiente problema y trata de resolverlo.

¿Es un cuadrado un rectángulo?

¿Es un rectángulo un cuadrado?

PRUÉBALO

Herramientas matemáticas
- geoplanos
- ligas
- papel cuadriculado
- papel punteado
- lápices de colores

CONVERSA CON UN COMPAÑERO

Pregúntale: ¿Estás de acuerdo conmigo? ¿Por qué sí o por qué no?

Dile: Estoy de acuerdo contigo en que . . . porque . . .

Explora diferentes maneras de entender cómo comparar cuadriláteros.

¿Es un cuadrado un rectángulo?

¿Es un rectángulo un cuadrado?

HAZ UN DIBUJO

Puedes usar un dibujo para comparar cuadriláteros.

Todos los cuadriláteros tienen 4 lados y 4 ángulos.

4 ángulos rectos
2 pares de lados paralelos
4 lados de la misma longitud

4 ángulos rectos
2 pares de lados paralelos
2 pares de lados opuestos de la misma longitud

HAZ UN MODELO

Puedes usar una tabla para comparar cuadriláteros.

Figura	4 lados 4 ángulos	4 ángulos rectos	2 pares de lados paralelos	2 pares de lados opuestos de la misma longitud	4 lados de la misma longitud
Cuadrado	✓	✓	✓	✓	✓
Rectángulo	✓	✓	✓	✓	a veces

CONÉCTALO

Ahora vas a usar el problema de la página anterior para ayudarte a entender cómo comparar cuadriláteros.

1 ¿Cuál es un atributo de un cuadrado que no es un atributo de todos los rectángulos?

2 ¿Tienen todos los rectángulos todos los atributos de un cuadrado? ....

3 ¿Tienen todos los cuadrados todos los atributos de un rectángulo? ....

4 ¿Es todo cuadrado un rectángulo? Explica por qué sí o por qué no.

5 ¿Es todo rectángulo un cuadrado? Explica por qué sí o por qué no.

6 REFLEXIONA

Repasa **Pruébalo**, las estrategias de tus compañeros, **Haz un dibujo** y **Haz un modelo**. ¿Qué modelos o estrategias prefieres para comparar cuadriláteros? Explica.

APLÍCALO

Usa lo que acabas de aprender para resolver estos problemas.

7 Encierra en un círculo todos los cuadriláteros que sean cuadrados.

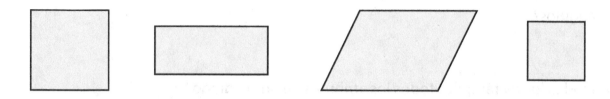

8 Una manera de definir un trapecio es decir que es un cuadrilátero que tiene solo un par de lados paralelos. Dibuja un trapecio que tenga dos ángulos rectos.

9 Encierra en un círculo todos los cuadriláteros que sean rectángulos.

Practica comparar cuadriláteros

Estudia el Ejemplo, que muestra cómo comparar cuadriláteros.
Luego resuelve los problemas 1 a 7.

EJEMPLO

¿Cuáles de estas figuras son paralelogramos?

Puedes nombrar los atributos del paralelogramo en una tabla.
Comprueba si cada figura tiene siempre estos atributos.

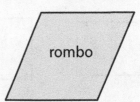

Atributo	Trapecio	Rombo	Rectángulo
4 lados	sí	sí	sí
4 ángulos	sí	sí	sí
2 pares de lados paralelos	no	sí	sí
2 pares de lados de la misma longitud	no	sí	sí

Un rombo y un rectángulo tienen todos los atributos del paralelogramo.

1　¿Es la figura *A* un paralelogramo? Explica.

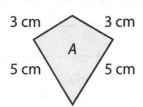

3 cm   3 cm

A

5 cm   5 cm

2　¿Cuál es otro tipo de cuadrilátero que también es un paralelogramo? Explica.

3　Completa los espacios en blanco. Usa información de la tabla de arriba.

Todo .... es un paralelogramo.

Todo .... es un paralelogramo.

Vocabulario

atributo manera de describir una figura, como el número de lados o la longitud de los lados.

Usa la tabla para resolver los problemas 4 a 7.

Atributo	Paralelogramo	Rombo	Rectángulo	Cuadrado
4 lados y 4 ángulos	sí	sí	sí	sí
4 ángulos rectos	a veces	a veces	sí	sí
2 pares de lados paralelos	sí	sí	sí	sí
2 pares de lados de la misma longitud	sí	sí	sí	sí

4   Encierra en un círculo todos los cuadriláteros que sean rombos.

5   Encierra en un círculo todos los cuadriláteros que sean rectángulos.

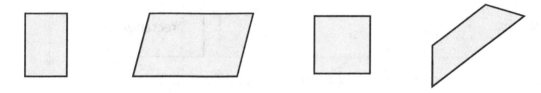

6   Di si cada enunciado es *Verdadero* o *Falso*.

	Verdadero	Falso
Todos los cuadrados son rectángulos.	Ⓐ	Ⓑ
Todos los rectángulos son paralelogramos.	Ⓒ	Ⓓ
Todos los paralelogramos son rectángulos.	Ⓔ	Ⓕ
Todos los cuadriláteros son paralelogramos.	Ⓖ	Ⓗ
Todos los paralelogramos son cuadriláteros.	Ⓘ	Ⓙ

7   Jaime dice que algunos rectángulos no son cuadrados. ¿Estás de acuerdo? Explica.

Desarrolla Nombrar y dibujar cuadriláteros   699

Lee el siguiente problema y trata de resolverlo.

> Tengo un cuadrilátero. Tiene 4 lados de la misma longitud. No tiene ángulos rectos. ¿Cuál es el nombre de mi figura?

PRUÉBALO

Herramientas matemáticas

- geoplanos
- ligas
- reglas
- papel cuadriculado
- papel punteado
- palillos de dientes

CONVERSA CON UN COMPAÑERO

Pregúntale: ¿Estás de acuerdo conmigo? ¿Por qué sí o por qué no?

Dile: Estoy de acuerdo contigo en que . . . porque . . .

Explora diferentes maneras de entender cómo nombrar y dibujar cuadriláteros.

> **Tengo un cuadrilátero. Tiene 4 lados de la misma longitud. No tiene ángulos rectos. ¿Cuál es el nombre de mi figura?**

HAZ UN MODELO

Puedes hacer un modelo para ayudarte a nombrar un cuadrilátero.

Elige 4 palillos de dientes de la misma longitud. Ordénalos para que parezcan un cuadrilátero. Asegúrate de que no haya ángulos rectos.

No tiene ángulos rectos; por lo tanto, no es un cuadrado.

RESUELVE

Puedes hacer una lista de los atributos para ayudarte a nombrar un cuadrilátero.

Mira el modelo de arriba. Piensa en todo lo que sabes acerca de esta figura.

• Es un cuadrilátero; por lo tanto, tiene 4 lados y 4 ángulos.

• Tiene los 4 lados de la misma longitud.

• No tiene ángulos rectos; por lo tanto, no es un cuadrado.

Con la lista de atributos, puedes nombrar la figura.

CONÉCTALO

Ahora vas a usar el problema de la página anterior para ayudarte a entender cómo nombrar y dibujar cuadriláteros mirando sus atributos.

1 ¿Cuál es el nombre de la figura descrita en la página anterior? ¿Cómo lo sabes?

2 Mira la figura de la derecha. ¿Es un cuadrilátero? Explica por qué sí o por qué no.

3 ¿Es la figura un paralelogramo? ¿Es un rectángulo? ¿Es un rombo? Explica.

4 Dibuja un cuadrilátero diferente que NO sea un paralelogramo, un rectángulo o un rombo.

5 REFLEXIONA

Repasa **Pruébalo**, las estrategias de tus compañeros, **Haz un modelo** y **Resuelve**. ¿Qué modelos o estrategias prefieres para nombrar y dibujar cuadriláteros? Explica.

....

....

....

....

Lección 31 Clasifica cuadriláteros   **701**

APLÍCALO

Usa lo que acabas de aprender para resolver estos problemas.

6 Encierra en un círculo todos los cuadriláteros que tengan 2 pares de lados de la misma longitud, pero que no sean rectángulos.

7 Dibuja un cuadrilátero que tenga al menos 1 ángulo recto, pero que no sea un rectángulo.

8 Dibuja un cuadrilátero que no tenga todos sus lados de la misma longitud, que tenga lados opuestos de la misma longitud y que no tenga ángulos rectos. Luego nombra el cuadrilátero.

Solución

Practica nombrar y dibujar cuadriláteros

Estudia el Ejemplo, que muestra cómo nombrar un cuadrilátero.
Luego resuelve los problemas 1 a 9.

EJEMPLO

Justin dibuja un cuadrilátero que tiene lados opuestos de la misma longitud.
Los 4 lados no tienen la misma longitud. ¿Qué cuadriláteros puede dibujar Justin?

Haz un dibujo para mostrar cómo serían los cuadriláteros.

Los lados opuestos tienen la misma longitud.
La figura tiene 4 ángulos rectos.

Los lados opuestos tienen la misma longitud.
La figura no tiene ángulos rectos.

Justin puede dibujar un rectángulo o un paralelogramo.

Usa la figura de la derecha para resolver los problemas 1 a 5.

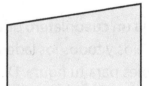

1 Una pared de un cobertizo se parece a la figura de la derecha.
¿Cuántos lados y ángulos tiene la figura?

2 ¿Cuántos lados paralelos tiene la figura?

3 ¿Cuántos ángulos rectos tiene la figura?

4 ¿Tiene la figura 2 pares de lados de la misma longitud?

5 Encierra en un círculo todas las palabras que puedes usar para nombrar esta figura.

cuadrilátero   paralelogramo   rectángulo

Usa las pistas y las figuras *A–E* para resolver los problemas 6 a 8.

6 Tengo 4 lados. Soy un paralelogramo.
Todos mis ángulos son rectos.
No soy un cuadrado.

Soy la figura ....

Soy un ....

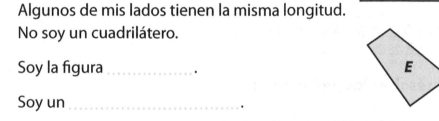

7 Soy un cuadrilátero.
No tengo ángulos rectos.
Todos mis lados tienen la misma longitud.

Soy la figura ....

Soy un ....

8 Tengo más de 1 ángulo recto.
Algunos de mis lados tienen la misma longitud.
No soy un cuadrilátero.

Soy la figura ....

Soy un ....

9 Dibuja un cuadrilátero que tenga al menos 3 ángulos rectos, 2 pares de lados paralelos y todos los lados de la misma longitud. Escribe todos los nombres posibles para tu figura. Di por qué corresponden los nombres.

Refina Clasificar cuadriláteros

Completa el Ejemplo siguiente. Luego resuelve los problemas 1 a 9.

EJEMPLO

Un patio tiene 2 pares de lados de la misma longitud. Todos los lados no tienen la misma longitud, pero tiene 4 ángulos rectos. ¿Qué forma tiene el patio?

Mira cómo podrías mostrar tu trabajo usando un modelo.

Solución ....

El estudiante usó un geoplano para hacer un modelo de la figura. Ahora puedes ver cómo es la figura.

EN PAREJA

¿De qué otra manera podrías hacer un modelo de la figura?

APLÍCALO

1 Dibuja un cuadrilátero que no tenga lados de la misma longitud ni ángulos rectos. Muestra tu trabajo.

La figura que dibujes no será un rectángulo ni un cuadrado. No será un paralelogramo ni un rombo.

EN PAREJA

¿Qué otra figura puedes dibujar para resolver el problema?

2 Friona recorta por la línea discontinua que se muestra en la figura de abajo. Sabe que formó dos cuadriláteros.

¿Es alguno de los cuadriláteros de Friona un paralelogramo? Explica por qué sí o por qué no.

Solución ....

....

....

Puede ser útil hacer una lista de los atributos de un paralelogramo.

EN PAREJA
Nombra los atributos de cada cuadrilátero de Friona.

3 ¿Qué figura NO es un rectángulo?

Ⓐ

Ⓑ

Ⓒ

Ⓓ

¿Cuáles son los atributos de cada figura?

Ari eligió Ⓐ como la respuesta correcta. ¿Cómo obtuvo él esa respuesta?

EN PAREJA
¿Cuáles son cuatro maneras de nombrar la figura que eligió Ari?

4 Un rombo debe tener todos estos atributos excepto, ¿cuál?

Ⓐ 4 lados de la misma longitud

Ⓑ 2 pares de lados paralelos

Ⓒ 4 ángulos rectos

Ⓓ 4 lados y 4 ángulos

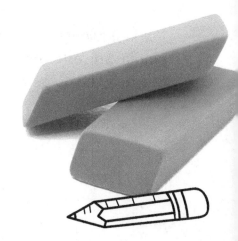

5 ¿Cuál es el mejor nombre para describir todas estas las figuras? ....

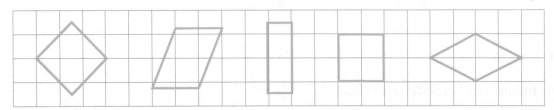

6 Usa la siguiente cuadrícula. Dibuja un cuadrilátero que pertenezca al menos a dos de estos grupos: *paralelogramo*, *rectángulo* o *cuadrado*. Explica por qué tu figura pertenece a estos grupos. Muestra tu trabajo.

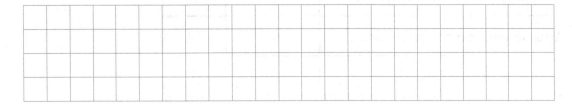

7 Usa la siguiente cuadrícula. Dibuja un cuadrilátero que NO pertenezca a ninguno de estos grupos: *paralelogramo, rectángulo* o *cuadrado*. Explica por qué tu figura no pertenece a ninguno de estos grupos. Muestra tu trabajo.

8 Di si cada enunciado es *Verdadero* o *Falso*.

	Verdadero	Falso
Todos los rombos son cuadriláteros.	Ⓐ	Ⓑ
Todos los rectángulos son cuadrados.	Ⓒ	Ⓓ
Todos los paralelogramos son rectángulos.	Ⓔ	Ⓕ
Todos los cuadriláteros son paralelogramos.	Ⓖ	Ⓗ
Todos los cuadrados son rombos.	Ⓘ	Ⓙ

9 DIARIO DE MATEMÁTICAS

Jess dice que un cuadrado no puede ser un rectángulo porque los rectángulos tienen 2 lados largos y 2 lados cortos. ¿Tiene razón? Explica.

☑ COMPRUEBA TU PROGRESO Vuelve al comienzo de la Unidad 6 y mira qué destrezas puedes marcar.

Área y perímetro de figuras

LECCIÓN
32

Estimada familia:

Esta semana su niño está aprendiendo sobre el perímetro y cómo se relaciona con el área.

El **área** indica cuánto espacio cubre una figura. El área de esta figura es de 8 centímetros cuadrados.

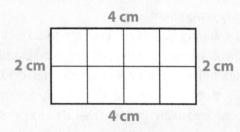

El **perímetro** indica la distancia total que hay alrededor de una figura. Se puede hallar el perímetro de una figura sumando las longitudes de todos los lados:

$4 + 2 + 4 + 2 = 12$

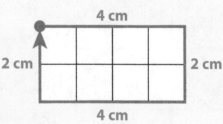

El perímetro de este rectángulo es de 12 centímetros.

Dos rectángulos pueden tener la misma área pero perímetros diferentes. Por ejemplo, este rectángulo también tiene un área de 8 centímetros cuadrados, pero el perímetro es 18 centímetros.

1 cm

8 cm

También, dos rectángulos pueden tener áreas diferentes pero el mismo perímetro.

Invite a su niño a compartir lo que sabe sobre área y perímetro haciendo juntos la siguiente actividad.

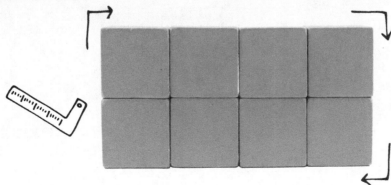

ACTIVIDAD ÁREA Y PERÍMETRO

Haga la siguiente actividad con su niño para explorar el área y el perímetro de las figuras.

Materiales cubo numérico, lápiz, las cuadrículas que se muestran abajo

Parte 1 Busque rectángulos con la misma área pero perímetros diferentes.
- Lance el cubo numérico.
- Pida a su niño que dibuje un rectángulo en la cuadrícula que se muestra abajo que tenga una longitud igual al número que indica el cubo numérico y un ancho de 4.
- Juntos, hallen el área y el perímetro del rectángulo.
- Ahora, trabajen juntos para dibujar otro rectángulo que tenga la *misma área* pero un *perímetro diferente*. ¿Hay más de una posibilidad?

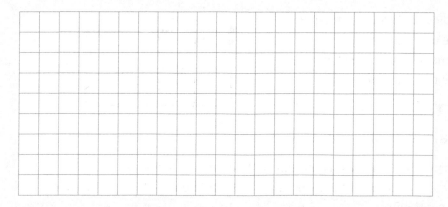

Parte 2 Busque rectángulos con el mismo perímetro pero áreas diferentes.
- Lance el cubo numérico otra vez.
- Nuevamente, dibuje un rectángulo en la cuadrícula que se muestra abajo que tenga una longitud igual al número que indica el cubo numérico y un ancho de 4.
- Juntos, hallen el área y el perímetro del rectángulo.
- Ahora, dibujen otro rectángulo que tenga el *mismo perímetro* pero un *área diferente*. ¿Hay más de una posibilidad?

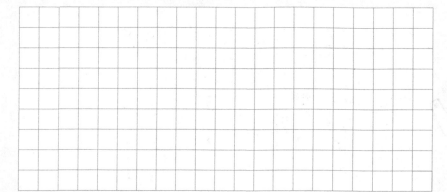

Explora Área y perímetro de figuras

En lecciones anteriores aprendiste sobre el área. Ahora aprenderás acerca de otro atributo medible de las figuras que se llama perímetro. También verás cómo el perímetro de un rectángulo se relaciona con su área. Usa lo que sabes para tratar de resolver el siguiente problema.

Claire corre junto al borde del campo de futbol en la escuela. Da una vuelta al campo corriendo. ¿Qué distancia corre Claire?

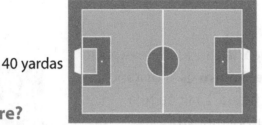

60 yardas

40 yardas   40 yardas

60 yardas

PRUÉBALO

Herramientas matemáticas

• bloques de base diez
• papel cuadriculado
• rectas numéricas
• herramienta de perímetro y área

CONVERSA CON UN COMPAÑERO

Pregúntale: ¿Cómo empezaste a resolver el problema?

Dile: Comencé por . . .

CONÉCTALO

1 REPASA

¿Cómo hallaste la distancia que corre Claire? Explica.

2 SIGUE ADELANTE

Ya aprendiste a hallar el área, la cantidad de espacio que cubre una figura. El **perímetro** es la distancia que hay alrededor de una figura. La línea roja alrededor del campo de futbol muestra su perímetro.

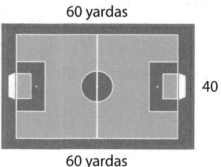

60 yardas

40 yardas   40 yardas

60 yardas

a. En el problema 1 hallaste el perímetro del campo.

¿Qué operación usaste? ....

b. Escribe una ecuación que puedas usar para hallar el perímetro del campo.

c. Puedes hallar el perímetro de otras figuras además de los rectángulos. Halla el perímetro de esta figura.

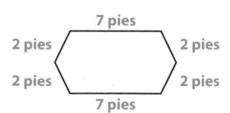

7 pies

2 pies   2 pies

2 pies   2 pies

7 pies

3 REFLEXIONA

Richard quiere colocar una valla alrededor de su patio trasero. ¿Debe hallar el área o el perímetro de su patio trasero? ¿Qué debe hacer para calcular la cantidad de valla que necesita?

....

....

....

Prepárate para el área y el perímetro de figuras

1 Piensa en lo que sabes acerca del perímetro. Llena cada recuadro. Usa palabras, números y dibujos. Muestra tantas ideas como puedas.

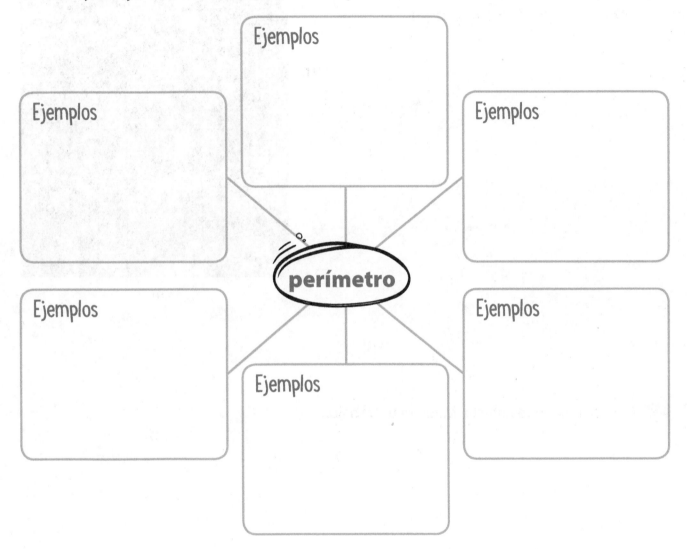

2 Escribe una ecuación que puedas usar para hallar el perímetro del rectángulo. ¿Cuál es el perímetro?

80 pies
20 pies   20 pies
80 pies

3 Resuelve el problema. Muestra tu trabajo.

Xuan camina alrededor del campo que se muestra. Da una vuelta completa al campo caminando. ¿Qué distancia camina Xuan?

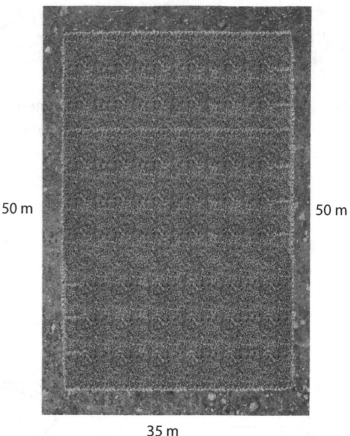

35 m

50 m

50 m

35 m

Solución ....

4 Comprueba tu respuesta. Muestra tu trabajo.

Desarrolla Hallar una longitud lateral desconocida

Lee el siguiente problema y trata de resolverlo.

> **Willis hace un corral para su conejo.**
>
> • **El corral tiene 6 lados.**
>
> • **El perímetro es de 10 metros.**
>
> • **Las longitudes de cinco de los lados son de 1 metro, 3 metros, 2 metros, 1 metro y 1 metro.**
>
> **¿Cuál es la longitud del sexto lado?**

PRUÉBALO

Herramientas matemáticas

- bloques de base diez
- geoplanos
- ligas
- papel cuadriculado
- rectas numéricas
- herramienta de perímetro y área

CONVERSA CON UN COMPAÑERO

Pregúntale: ¿Cómo empezaste a resolver el problema?

Dile: Comencé por . . .

Explora diferentes maneras de entender cómo hallar una longitud lateral desconocida.

Willis hace un corral para su conejo.

• **El corral tiene 6 lados.**

• **El perímetro es de 10 metros.**

• **Las longitudes de cinco de los lados son de 1 metro, 3 metros, 2 metros, 1 metro y 1 metro.**

¿Cuál es la longitud del sexto lado?

HAZ UN DIBUJO

Puedes hacer un modelo para ayudarte a entender el problema.

La siguiente figura de seis lados muestra una posible forma del corral del conejo. Las longitudes laterales que conoces están rotuladas.

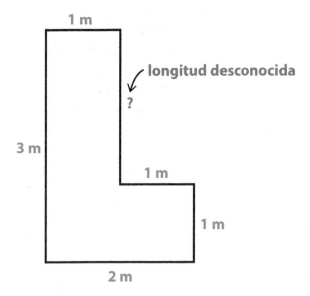

1 m

longitud desconocida

?

3 m

1 m

1 m

2 m

El perímetro del corral es de 10 metros.

CONÉCTALO

Ahora vas a usar el problema de la página anterior para ayudarte a entender cómo hallar una longitud lateral desconocida.

1 Explica cómo podrías hallar el perímetro de la figura si conocieras todas las longitudes laterales.

2 Sabes que el perímetro es de 10 metros. Explica cómo podrías calcular la longitud lateral desconocida.

3 Escribe una ecuación para hallar la longitud lateral desconocida. Usa un ? para el número que no conoces.

4 ¿Cuál es la longitud del sexto lado?

5 Explica cómo una ecuación de suma puede ayudarte a hallar el perímetro de una figura.

6 REFLEXIONA

Repasa Pruébalo, las estrategias de tus compañeros y Haz un dibujo. ¿Qué modelos o estrategias prefieres para hallar una longitud lateral desconocida? Explica.

....

....

....

....

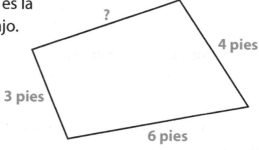

APLÍCALO

Usa lo que acabas de aprender para resolver estos problemas.

7 Jordan tiene una cometa con cuatro lados. Dos de los lados miden 8 pulgadas de largo. Los otros dos lados miden 12 pulgadas de largo. ¿Cuál es el perímetro de la cometa? Muestra tu trabajo.

Solución

8 El perímetro de esta figura es de 18 pies. ¿Cuál es la longitud lateral desconocida? Muestra tu trabajo.

?

4 pies

3 pies

6 pies

Solución

9 Hannah hace una casa de 5 lados con 34 pulgadas de alambre. Dos de los lados miden 5 pulgadas de largo cada uno y los otros dos lados miden 7 pulgadas de largo cada uno. ¿Cuál es la longitud del último lado?
Muestra tu trabajo.

Solución

Practica hallar una longitud lateral desconocida

Estudia el Ejemplo, que muestra cómo usar el perímetro para hallar la longitud lateral desconocida de una figura. Luego resuelve los problemas 1 a 8.

EJEMPLO

Este es el plano de la cabaña que va a construir Sean. El perímetro de la cabaña es de 16 metros. ¿Cuál es la longitud lateral desconocida?

El perímetro es de 16 metros. Eso significa que la suma de todas las longitudes laterales es 16.

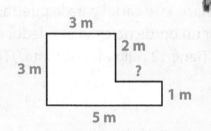

$5 + 3 + 3 + 2 + 1 + ? = 16$

$14 + ? = 16$; por lo tanto, $? = 2$.

La longitud lateral desconocida es de 2 metros.

---

1 Escribe una ecuación para hallar el perímetro de este rectángulo.

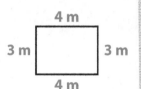

2 El perímetro de este triángulo es de 12 pies. ¿Cómo puedes hallar la longitud lateral desconocida? ¿Cuál es la longitud?

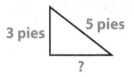

3 Un cuadrado tiene un perímetro de 20 pulgadas. Explica cómo hallar la longitud de cada lado.

> ## Vocabulario
>
> **perímetro** longitud del contorno de una figura. El perímetro es igual al total de las longitudes de los lados.

4) Lorenzo sabe que el perímetro de este trapecio es de 18 centímetros. Muestra cómo hallar la longitud del lado de arriba. Escribe la longitud en el espacio en blanco.

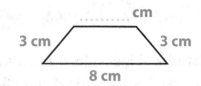

5) Nadia hace este cartel para la puerta de su dormitorio. Quiere colocar un borde de cinta alrededor de todos los bordes del cartel. Tiene 12 pulgadas de cinta. ¿Tiene suficiente cinta?

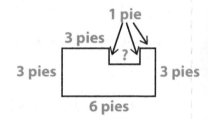

6) El perímetro de esta figura es de 20 pies. Muestra cómo hallar la longitud lateral desconocida.

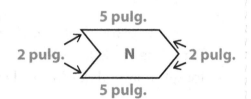

7) Jeff tiene un jardín con forma de hexágono. Cada uno de los 6 lados del hexágono mide 6 pies de largo. ¿Cuál es el perímetro del jardín?

8) Un rectángulo tiene 2 lados que miden 6 centímetros de largo cada uno. El perímetro es de 22 centímetros. ¿Cuál es la longitud de los otros dos lados? Muestra tu trabajo.

Solución ....

Desarrolla Hallar la misma área con diferente perímetro

Lee el siguiente problema y trata de resolverlo.

> **Emma dibujó el rectángulo que se muestra. ¿Qué otros rectángulos tienen la misma área, pero diferentes perímetros?**

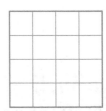

PRUÉBALO

Herramientas matemáticas

- fichas de unidades
- geoplanos
- ligas
- papel cuadriculado
- notas adhesivas
- herramienta de perímetro y área 🖱

CONVERSA CON UN COMPAÑERO

Pregúntale: ¿Cómo empezaste a resolver el problema?

Dile: Yo ya sabía que . . . así que . . .

Explora diferentes maneras de entender cómo hallar rectángulos con la misma área y diferentes perímetros.

> **Emma dibujó el rectángulo que se muestra. ¿Qué otros rectángulos tienen la misma área, pero perímetros diferentes?**

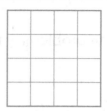

HAZ UN DIBUJO

Puedes usar dibujos para ayudarte a hallar rectángulos que tengan la misma área y perímetros diferentes.

El área del rectángulo de Emma es de 16 unidades cuadradas. Abajo hay otros dos rectángulos que también tienen un área de 16 unidades cuadradas.

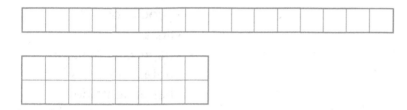

También puedes colocar estos rectángulos de costado para obtener dos rectángulos más.

HAZ UN MODELO

Puedes usar una tabla para ayudarte a hallar rectángulos que tengan la misma área y diferentes perímetros.

Puedes hacer una tabla que muestre las medidas de rectángulos que tienen un área de 16 unidades cuadradas. El rectángulo que dibujó Emma está encerrado en un círculo.

Longitud	Ancho	Área	Perímetro
16 unidades	1 unidad	16 unidades cuadradas	34 unidades
8 unidades	2 unidades	16 unidades cuadradas	20 unidades
4 unidades	4 unidades	16 unidades cuadradas	16 unidades

CONÉCTALO

Ahora vas a usar el problema de la página anterior para ayudarte a entender cómo hallar rectángulos con la misma área y diferentes perímetros.

1 Mira Haz un dibujo. ¿Cómo sabes que los dos rectángulos que se muestran tienen la misma área que el rectángulo de Emma?

2 Para hallar otros rectángulos que tengan un área de 16 unidades cuadradas, piensa en datos de multiplicación que tengan un producto de 16. ¿Cuáles son datos de multiplicación que tienen un producto de 16?

Mira la tabla en Haz un modelo. ¿Dónde ves los factores y los productos de los datos de multiplicación que escribiste?

3 ¿Cómo pueden dos rectángulos tener la misma área pero diferentes perímetros?

4 REFLEXIONA

Repasa Pruébalo, las estrategias de tus compañeros, Haz un dibujo y Haz un modelo. ¿Qué modelos o estrategias prefieres para hallar el área de rectángulos con la misma área y diferentes perímetros? Explica.

....

....

....

....

APLÍCALO

Usa lo que acabas de aprender para resolver estos problemas.

5 Mira el rectángulo que se muestra. Dibuja un rectángulo que tenga la misma área pero diferente perímetro. Muestra tu trabajo.

6 Mira el rectángulo que dibujaste en el problema 5. ¿Su perímetro es igual, mayor que o menor que el perímetro del rectángulo original?

Solución ....

7 Joel planea hacer un huerto rectangular como el que se muestra. Quiere colocar vallas alrededor de su huerto, pero tiene solo 20 pies de valla. Usando la misma área que este huerto, ¿qué longitudes laterales podría tener su huerto para que tenga un perímetro de 20 pies? Muestra tu trabajo.

3 pies

8 pies

Solución ....

Practica hallar la misma área con diferente perímetro

Estudia el Ejemplo, que muestra cómo rectángulos con la misma área pueden tener diferentes perímetros. Luego resuelve los problemas 1 a 5.

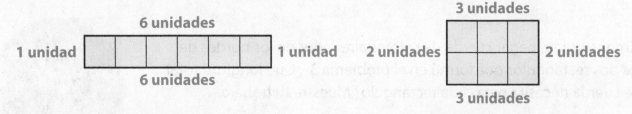

EJEMPLO

Chang tiene 12 fichas cuadradas. Él usa las fichas para formar dos rectángulos diferentes con un área de 6 unidades cuadradas cada uno. ¿Tienen estos rectángulos el mismo perímetro?

6 unidades

1 unidad   1 unidad

6 unidades

3 unidades

2 unidades   2 unidades

3 unidades

$$6 + 1 + 6 + 1 = 14$$
perímetro = 14 unidades

$$3 + 2 + 3 + 2 = 10$$
perímetro = 10 unidades

Los rectángulos con la misma área pueden tener diferentes perímetros.

---

1 Ambos rectángulos de la derecha tienen un área de 12 unidades cuadradas. Escribe el perímetro de cada uno en la tabla.

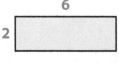

Longitud	Ancho	Área	Perímetro
6 unidades	2 unidades	12 unidades cuadradas	unidades
4 unidades	3 unidades	12 unidades cuadradas	unidades

2 Dibuja dos rectángulos diferentes que tengan un área de 10 unidades cuadradas. Escribe el número de unidades para cada longitud, ancho y perímetro.

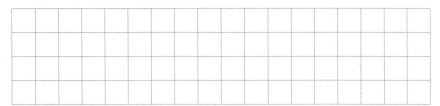

1: longitud = ..., ancho = ..., perímetro = ...

2: longitud = ..., ancho = ..., perímetro = ...

3 Simone tiene fichas de 16 pulgadas cuadradas. Las pega todas en un cartón para formar dos rectángulos diferentes, cada uno con la misma área. ¿Cuáles son las longitudes laterales de los dos rectángulos que puede formar? Muestra tu trabajo.

Solución ....

4 Simone quiere pegar cuerda de colores alrededor de los bordes de los dos rectángulos que formó en el problema 3. ¿Qué longitud total de cuerda necesita para cada rectángulo? Muestra tu trabajo.

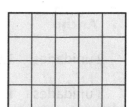

Solución ....

5 Enrique dibuja el rectángulo a la derecha. Dibuja otro rectángulo con la misma área pero con diferente perímetro. ¿Qué rectángulo tiene mayor perímetro?

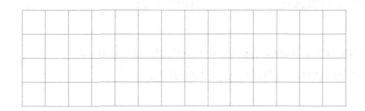

Desarrolla Hallar el mismo perímetro con diferente área

Lee el siguiente problema y trata de resolverlo.

> **Kai dibujó el rectángulo que se muestra. ¿Qué otros rectángulos tienen el mismo perímetro, pero diferente área?**

PRUÉBALO

Herramientas matemáticas

- fichas de unidades
- geoplanos
- ligas
- papel cuadriculado
- rectas numéricas
- herramienta de perímetro y área 🖱

CONVERSA CON UN COMPAÑERO

Pregúntale: ¿Por qué elegiste esa estrategia?

Dile: La estrategia que usé para hallar la respuesta fue...

Explora diferentes maneras de entender cómo hallar rectángulos con el mismo perímetro y diferentes áreas.

> **Kai dibujó el rectángulo que se muestra. ¿Qué otros rectángulos tienen el mismo perímetro, pero diferente área?**

HAZ UN DIBUJO

Puedes usar dibujos para ayudarte a hallar rectángulos con el mismo perímetro y diferentes áreas.

El perímetro del rectángulo de Kai es de 12 unidades. Todos estos rectángulos tienen un perímetro de 12 unidades.

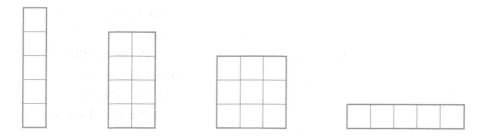

HAZ UN MODELO

Puedes usar una tabla para ayudarte a hallar rectángulos con el mismo perímetro y diferentes áreas.

La siguiente tabla muestra las medidas de rectángulos que tienen un perímetro de 12 unidades. El rectángulo que dibujó Kai está encerrado en un círculo.

Longitud	Ancho	Área	Perímetro
3 unidades	3 unidades	9 unidades cuadradas	12 unidades
4 unidades	2 unidades	8 unidades cuadradas	12 unidades
5 unidades	1 unidad	5 unidades cuadradas	12 unidades

CONÉCTALO

Ahora vas a usar el problema de la página anterior para ayudarte a entender cómo hallar rectángulos con el mismo perímetro y diferentes áreas.

1 Mira la tabla de Haz un modelo. ¿Qué notas acerca de la suma de la longitud y del ancho de cada rectángulo?

¿Cómo se compara la suma de la longitud y el ancho con el perímetro?

2 Todos los rectángulos tienen el mismo perímetro que el rectángulo de Kai. Explica por qué solo uno tiene la misma área que el rectángulo de Kai.

3 Haz una lista con las medidas de los rectángulos que tengan el mismo perímetro pero diferentes áreas que el rectángulo de Kai.

4 ¿Cómo pueden dos rectángulos tener el mismo perímetro pero diferentes áreas?

5 REFLEXIONA

Repasa Pruébalo, las estrategias de tus compañeros, Haz un dibujo y Haz un modelo. ¿Qué modelos o estrategias prefieres para hallar el área de rectángulos con el mismo perímetro y diferentes áreas? Explica.

....

....

....

APLÍCALO

Usa lo que acabas de aprender para resolver estos problemas.

6 Mira el rectángulo que se muestra. Dibuja un rectángulo que tenga el mismo perímetro pero diferente área. Muestra tu trabajo.

7 Mira el rectángulo que dibujaste en el problema 6. ¿Su área es igual, mayor que o menor que el área del rectángulo original?

Solución

8 Marc teje una alfombra rectangular nueva que tiene el mismo perímetro y diferente área que una alfombra vieja. La alfombra vieja mide 9 pies de largo y 4 pies de ancho. Si la alfombra nueva mide 6 pies de ancho, ¿qué longitud tiene? ¿Cuál es el área de la alfombra nueva? Muestra tu trabajo.

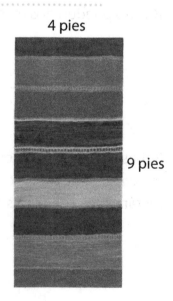

4 pies

9 pies

Solución

Practica hallar el mismo perímetro con diferente área

Estudia el Ejemplo, que muestra que rectángulos con el mismo perímetro pueden tener diferentes áreas. Luego resuelve los problemas 1 a 6.

EJEMPLO

Kat dibuja rectángulos diferentes, cada uno con un perímetro de 10 unidades. ¿Tienen estos rectángulos la misma área?

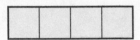

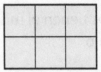

longitud = 4 unidades y ancho = 1 unidad
área = 4 unidades cuadradas

longitud = 3 unidades y ancho = 2 unidades
área = 6 unidades cuadradas

Los rectángulos que tienen el mismo perímetro pueden tener diferentes áreas.

---

1 Ambos carteles rectangulares de la derecha tienen un perímetro de 14 pies. Escribe el área de cada uno en la tabla.

6 pies

1 pie

5 pies

2 pies

Longitud	Ancho	Área	Perímetro
6 pies	1 pie		14 pies
5 pies	2 pies		14 pies

2 Dibuja otro rectángulo que tenga un perímetro de 14 pies. Escribe la longitud, el ancho y el área en la tabla.

Cada ▢ = 1 pie cuadrado.

Longitud	Ancho	Área	Perímetro
pies	pies	pies cuadrados	14 pies

Usa los rectángulos *A*, *B* y *C* para los problemas 3 a 5.

3 ¿Qué rectángulo tiene mayor área?
Muestra tu trabajo.

3 unidades | *A*
6 unidades

Solución ....

4 ¿Qué rectángulos tienen el mismo perímetro?
Muestra tu trabajo.

5 unidades | *B*
5 unidades

5 unidades | *C*
4 unidades

Solución ....

5 Dibuja un rectángulo que tenga el mismo perímetro que el rectángulo *A* y diferente área que los rectángulos *A*, *B* o *C*. Escribe la longitud, el ancho y el área de tu rectángulo.

longitud ....

ancho ....

área ....

6 Halla las longitudes laterales de dos rectángulos diferentes que tienen un perímetro de 20 unidades. Luego halla y compara sus áreas.

Refina Trabajar con el área y el perímetro de figuras

Completa el Ejemplo siguiente. Luego resuelve los problemas 1 a 8.

EJEMPLO

Mira el siguiente rectángulo. Dibuja un rectángulo que tenga el mismo perímetro pero diferente área.

6 unidades

4 unidades   4 unidades

6 unidades

Mira cómo podrías mostrar tu trabajo usando un dibujo.

Rectángulo de arriba: longitud = 6 unidades y ancho = 4 unidades

Prueba con una longitud de 7 unidades.

$7 + 7 = 14$

$20 - 14 = 6$

$6 \div 2 = 3$

7 unidades

..... unidades   ..... unidades

7 unidades

El perímetro del rectángulo es de 20 unidades y el área es de 24 unidades cuadradas. El rectángulo que dibuja el estudiante también debe tener un perímetro de 20 unidades.

EN PAREJA

¿Qué otros rectángulos podrías dibujar?

APLÍCALO

1 El papá de Jared construye una terraza cuadrada en su patio trasero. Un lado de la terraza mide 10 pies de largo. ¿Cuál es el perímetro de la terraza? Muestra tu trabajo.

Todos los lados de un cuadrado tienen la misma longitud. ¿Cuántos lados debes sumar para hallar el perímetro?

EN PAREJA

¿Qué ecuación podrías escribir para hallar el perímetro?

Solución ....

2 Abajo se muestra el patio rectangular lateral de Belinda. Dibuja un rectángulo que tenga la misma área que el patio pero diferente perímetro. Muestra tu trabajo.

4 m

9 m

El área es de 4 metros × 9 metros, o 36 metros cuadrados. ¿Qué números, además de 4 y 9, son factores de 36?

3 El perímetro de la siguiente figura es de 12 centímetros.

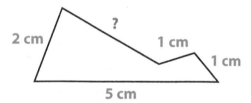

2 cm ? 1 cm 1 cm

5 cm

¿Cuál es la longitud lateral desconocida?

Ⓐ 2 cm

Ⓑ 3 cm

Ⓒ 4 cm

Ⓓ 9 cm

Rose eligió Ⓓ como la respuesta correcta. ¿Cómo obtuvo ella esa respuesta?

Podrías escribir una ecuación con un ? para el número desconocido para mostrar el perímetro.

4 Rachel tiene 20 pies de valla para colocar alrededor de una sección rectangular de su patio. La valla debe rodear el perímetro de la sección rectangular sin superponerse. ¿Tiene Rachel exactamente la cantidad de valla para cada sección rectangular que se muestra abajo?
El área de cada ☐ es de 1 pie cuadrado.

	Sí	No
☐☐☐☐☐☐☐☐☐	Ⓐ	Ⓑ
(rectángulo)	Ⓒ	Ⓓ
(rectángulo)	Ⓔ	Ⓕ
(rectángulo)	Ⓖ	Ⓗ

5 Ling plantó un jardín de flores y un jardín de vegetales. Ambos son rectángulos.

Parte A El jardín de flores de Ling mide 8 pies de largo. Tiene un área de 40 pies cuadrados. ¿Cuál es el perímetro del jardín de flores? Muestra tu trabajo.

Parte B El jardín de vegetales de Ling mide 10 pies de ancho. Su área es la misma que la del jardín de flores. ¿Qué jardín tiene el perímetro mayor? Muestra tu trabajo.

Lección 32 Área y perímetro de figuras   **735**

6 Mira el rectángulo *A*. El área de cada ☐ es de 1 unidad cuadrada.

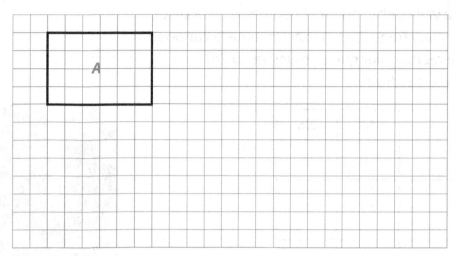

Parte A Halla el perímetro y el área del rectángulo *A*.

Perímetro: .... unidades   Área: .... unidades cuadradas

Parte B Usa la cuadrícula para dibujar un rectángulo que tenga el mismo perímetro pero diferente área que el rectángulo *A*. Rotúlalo como rectángulo *B*. Escribe el perímetro y el área del rectángulo *B*.

Perímetro: .... unidades   Área: .... unidades cuadradas

Parte C Usa la cuadrícula para dibujar un rectángulo que tenga la misma área pero diferente perímetro que el rectángulo *A*. Rotúlalo como rectángulo *C*. Escribe el perímetro y el área del rectángulo *C*.

Perímetro: .... unidades   Área: .... unidades cuadradas

7 DIARIO DE MATEMÁTICAS

Alex dice que todos los rectángulos con un perímetro de 14 metros tienen la misma área. ¿Tiene razón? Explica.

☑ **COMPRUEBA TU PROGRESO** Vuelve al comienzo de la Unidad 6 y mira qué destrezas puedes marcar.

Divide figuras en partes con áreas iguales

Estimada familia:

Esta semana su niño está aprendiendo a dividir figuras en partes que tienen áreas iguales.

Las partes iguales de una figura cubren áreas iguales. Piense en estas partes como fracciones de un área entera.

Estos cuadrados se dividieron en 4 partes iguales. Por lo tanto, el área de una parte sombreada es $\frac{1}{4}$ del área del cuadrado entero.

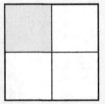 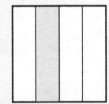 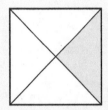

Como las 4 partes de cada cuadrado tienen el mismo tamaño y la misma forma, cada parte es $\frac{1}{4}$ de la figura entera.

Aquí el cuadrado fue dividido en 8 partes iguales. Por lo tanto, el área de una parte es $\frac{1}{8}$ del entero.

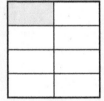

Invite a su niño a compartir lo que sabe sobre dividir figuras en partes con áreas iguales haciendo juntos la siguiente actividad.

ACTIVIDAD DIVIDIR FIGURAS EN ÁREAS IGUALES

Haga la siguiente actividad con su niño para practicar la división de figuras en partes iguales.

Materiales 2 hojas de papel, crayones o marcadores

Haga esta actividad con su niño para que practique cómo dividir un rectángulo en partes iguales.

- Trabaje con su niño para doblar una hoja de papel y formar partes con áreas iguales. Comience por ayudar a su niño a doblar una hoja de papel en tercios.

- Guíe a su niño para que doble la hoja de papel una vez más por la mitad, luego abra la hoja de papel.

- Pregunte a su niño lo siguiente.

  1. ¿Cuántas partes iguales ves?

  2. ¿Qué fracción representa una sección?

  Luego, pídale que coloree $\frac{2}{6}$ del rectángulo.

- Ahora, doblen juntos otra hoja de papel de la misma manera y coloreen $\frac{2}{6}$ de una manera diferente.

- Pregunta de desafío:

  3. ¿Qué fracción es equivalente a $\frac{2}{6}$, de acuerdo con la parte del total que está coloreada?

Respuestas: **1.** 6 partes iguales; **2.** $\frac{1}{6}$; **3.** $\frac{1}{3}$

Explora Dividir figuras en partes con áreas iguales

Ya has aprendido acerca de fracciones equivalentes, partes iguales de las figuras y a hallar el área. En esta lección aprenderás a dividir figuras en partes con áreas iguales. Usa lo que sabes para tratar de resolver el siguiente problema.

Objetivo de aprendizaje

- Dividir figuras geométricas en partes que tienen áreas iguales. Expresar el área de cada parte como una fracción unitaria del entero.

EPM 1, 2, 3, 4, 5, 6, 7

Usa diferentes maneras de dividir cada cuadrado en dos partes iguales. Sombrea una parte de cada cuadrado. ¿Qué fracción unitaria podrías usar para describir la parte sombreada? Explica cómo lo sabes.

PRUÉBALO

Herramientas matemáticas

- fichas de unidades
- papel cuadriculado
- papel punteado
- notas adhesivas
- modelos de fracciones

CONVERSA CON UN COMPAÑERO

Pregúntale: ¿Por qué elegiste esa estrategia?

Dile: La estrategia que usé para hallar la respuesta fue . . .

CONÉCTALO

① REPASA

Explica cómo sabes qué fracción unitaria nombra la parte sombreada de cada cuadrado.

② SIGUE ADELANTE

Puedes dividir la misma figura en partes iguales de muchas maneras. Puedes usar fracciones para describir el área que cubre cada parte. Mira los siguientes rectángulos. Las áreas sombreadas de los cuatro rectángulos se parecen y son diferentes.

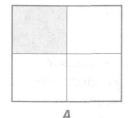 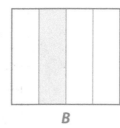 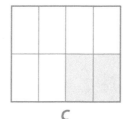 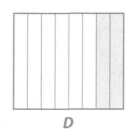

A   B   C   D

a. ¿Qué fracción del área del rectángulo *A* está sombreada? ....

¿Qué fracción del área del rectángulo *B* está sombreada? ....

¿Qué fracción del área del rectángulo *C* está sombreada? ....

¿Qué fracción del área del rectángulo *D* está sombreada? ....

b. Para los rectángulos *C* y *D*, ¿Qué fracción unitaria es equivalente a la fracción

que muestran las partes sombreadas? ....

③ REFLEXIONA

¿En qué se parecen las áreas sombreadas que se muestran en los cuatro rectángulos de arriba? ¿En qué son diferentes?

....

....

Prepárate para dividir figuras en partes con áreas iguales

1 Piensa en lo que sabes acerca de las fracciones y las figuras. Llena cada recuadro.
Usa palabras, números y dibujos. Muestra tantas ideas como puedas.

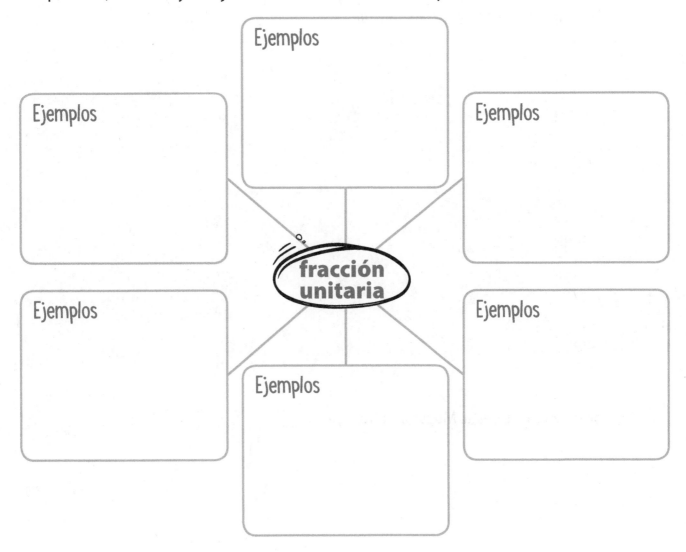

Ejemplos

Ejemplos

Ejemplos

fracción unitaria

Ejemplos

Ejemplos

Ejemplos

2 Mira el siguiente rectángulo.

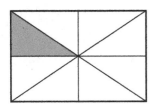

¿Qué fracción unitaria nombra la parte sombreada del rectángulo? ....

3 Resuelve el problema. Muestra tu trabajo.

Usa diferentes maneras de dividir cada uno de los siguientes cuadrados en cuatro partes iguales. Sombrea una parte de cada cuadrado. ¿Qué fracción unitaria podrías usar para describir la parte sombreada? Explica cómo lo sabes.

Solución ....

....

4 Comprueba tu respuesta. Muestra tu trabajo.

Desarrolla Dividir figuras en partes iguales

Lee el siguiente problema y trata de resolverlo.

Brett dobló un trozo de papel tres veces como se muestra. Luego coloreó de rojo $\frac{1}{4}$ del área total del papel. ¿Cómo podría haber coloreado el papel?

Explica cómo sabes que tu manera es correcta.

PRUÉBALO

Herramientas matemáticas
- fichas de fracciones
- papel cuadriculado
- lápices de colores
- modelos de fracciones

CONVERSA CON UN COMPAÑERO

Pregúntale: ¿Estás de acuerdo conmigo? ¿Por qué sí o por qué no?

Dile: Estoy de acuerdo contigo en que . . . porque . . .

Explora diferentes maneras de entender la división de figuras en partes iguales.

Brett dobló un trozo de papel tres veces como se muestra. Luego pintó de rojo $\frac{1}{4}$ del área total del papel. ¿Cómo podría haber coloreado el papel?

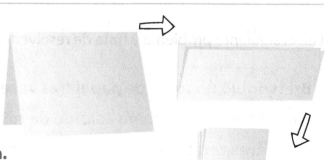

Explica cómo sabes que tu manera es correcta.

HAZ UN MODELO

Puedes representar el problema y hacer un modelo.

Dobla un trozo de papel por la mitad tres veces como lo hizo Brett.

Desdobla el papel.

Así se ve el papel dividido en partes iguales.

RESUELVE

Puedes usar fracciones equivalentes para resolver el problema.

El papel tiene 8 partes iguales.

Necesitas colorear de rojo un número de partes para que $\frac{1}{4}$ del área del papel quede coloreado.

Piensa en una fracción equivalente a $\frac{1}{4}$ para ayudarte a resolver el problema.

Puedes comparar números usando $<$, $>$ o $=$. Como tu fracción será equivalente a $\frac{1}{4}$, puedes comparar las fracciones usando $=$.

CONÉCTALO

Ahora vas a usar el problema de la página anterior para ayudarte a entender cómo dividir figuras en partes iguales.

1 ¿Cuántas partes iguales hay en el papel? .... ¿Cuántas hay en 1 fila? ....

Supón que Brett colorea 1 fila. ¿Qué fracción del papel colorea? ....

¿Qué fracción del papel NO está coloreada? ....

Usa $<$, $>$ o $=$ para comparar la fracción del papel que está coloreada y la fracción que no está coloreada. $\frac{2}{8}$ ◯ $\frac{6}{8}$

2 ¿Qué fracción del papel es 1 fila? Explica.

3 ¿Colorea Brett $\frac{1}{4}$ del área del papel? Usa tus respuestas de arriba para explicarlo.

4 ¿De qué otra manera podría Brett haber coloreado $\frac{1}{4}$ del papel?

5 Para colorear $\frac{1}{4}$ del papel, ¿debe Brett colorear partes que están una al lado de la otra? Explica.

6 REFLEXIONA

Repasa **Pruébalo**, las estrategias de tus compañeros, **Haz un modelo** y **Resuelve**. ¿Qué modelos o estrategias prefieres para dividir figuras en partes iguales? Explica.

....

....

APLÍCALO

Usa lo que acabas de aprender para resolver estos problemas.

7 Divide este rectángulo en 8 partes iguales. ¿Qué fracción del área total del rectángulo es cada parte?

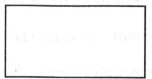

Solución ....

8 Muestra una manera diferente de dividir el rectángulo del problema 7 en 8 partes iguales. ¿Qué fracción del área total del rectángulo es cada parte?

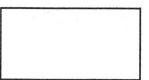

Solución ....

9 Cada figura está dividida en partes iguales. ¿Qué figuras muestran $\frac{1}{2}$ del área sombreado?

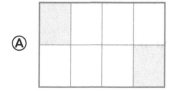
Ⓐ

Ⓑ

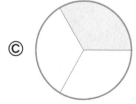
Ⓒ

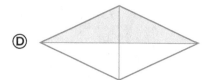
Ⓓ

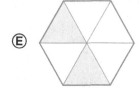
Ⓔ

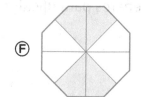
Ⓕ

Practica dividir figuras en partes iguales

Estudia el Ejemplo, que muestra cómo dividir rectángulos en partes iguales. Luego resuelve los problemas 1 a 10.

EJEMPLO

Brad y Linda cubren cada uno un cartón del mismo tamaño con azulejos de mosaico. Estos son los diseños que hicieron. ¿Qué parte del diseño de Brad tiene azulejos rojos? ¿Qué parte del diseño de Linda tiene azulejos rojos?

Diseño de Brad

Diseño de Linda

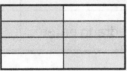

2 filas de 4 azulejos = 8 azulejos

$\frac{4}{8}$, o $\frac{1}{2}$, de los azulejos son rojos.

4 filas de 2 azulejos = 8 azulejos

$\frac{4}{8}$, o $\frac{1}{2}$, de los azulejos son rojos.

① ¿Cuántas partes iguales hay en el rectángulo *A*? ....

A

② ¿Cuántas filas hay en el rectángulo *A*? ....

③ ¿Qué fracción del área total del rectángulo *A* está sombreada? ....

④ Usa el rectángulo *B* para mostrar otra manera de dividir un rectángulo en 6 partes iguales. ¿Qué fracción unitaria es cada parte? ....

B

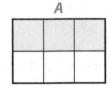

⑤ ¿Qué fracción del área total del rectángulo *C* está sombreada? Di cómo lo sabes.

C

6 El octágono está dividido en partes iguales. ¿Qué fracción del área total del octágono es cada parte? ....

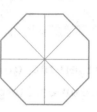

7 Compara los cuadrados X y Y. Di si cada enunciado es *Verdadero* o *Falso*.

	Verdadero	Falso
$\frac{1}{2}$ de la figura X está sombreado.	Ⓐ	Ⓑ
$\frac{1}{2}$ de la figura Y está sombreado.	Ⓒ	Ⓓ
Cada fila de la figura X es $\frac{1}{4}$ del cuadrado entero.	Ⓔ	Ⓕ
Cada fila de la figura Y es $\frac{1}{4}$ del cuadrado entero.	Ⓖ	Ⓗ

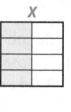

X

Y

8 Divide el rectángulo S en 4 partes iguales y divide el rectángulo T en 8 partes iguales.

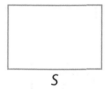

S

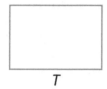

T

9 Sombrea $\frac{1}{4}$ del área de cada rectángulo del problema 8.

10 Usa $<$, $>$ o $=$ para comparar las partes sombreadas de los rectángulos en el problema 8.

$\frac{1}{4}$ ◯ ....

11 Divide el hexágono en 6 triángulos iguales. Luego sombrea $\frac{1}{2}$ o $\frac{1}{3}$ del área del hexágono. Di cómo sabes que $\frac{1}{2}$ o $\frac{1}{3}$ del área está sombreado.

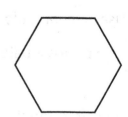

Refina Dividir figuras en partes con áreas iguales

Completa el Ejemplo siguiente. Luego resuelve los problemas 1 a 8.

EJEMPLO

Un tablero de juego rectangular está dividido en casillas del mismo tamaño. Hay 4 filas. Cada fila tiene 2 casillas. ¿Qué fracción del área total del tablero de juego cubre cada fila?

Mira cómo podrías mostrar tu trabajo usando un modelo.

1 fila de un total de 4 filas está sombreada.

Solución ....

El estudiante usó una cuadrícula para hacer un modelo del tablero de juego.

EN PAREJA
¿Cómo podrías resolver el problema sin usar un modelo?

APLÍCALO

1 El triángulo está dividido en partes iguales. ¿Cómo se compara el área de una parte con el área del triángulo entero? Sombrea $\frac{1}{2}$ del triángulo.

¿Cuántos triángulos más pequeños hay?

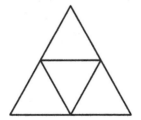

Solución ....

EN PAREJA
¿Cuál es otra manera de sombrear $\frac{1}{2}$ del triángulo?

2 Sombrea $\frac{1}{3}$ del siguiente círculo. ¿Cuántas partes del mismo tamaño cubren $\frac{1}{3}$ del círculo? Muestra tu trabajo.

Recuerda que $\frac{1}{3}$ significa 1 de un total de 3 partes iguales.

Solución ....

EN PAREJA

¿Qué fracción del círculo entero es cada parte?

3 Un rectángulo se divide por igual en 2 filas. Cada fila se divide en 3 cuadrados del mismo tamaño. ¿Qué fracción del área total del rectángulo es cada cuadrado?

Ⓐ $\frac{1}{2}$

Ⓑ $\frac{1}{3}$

Ⓒ $\frac{1}{4}$

Ⓓ $\frac{1}{6}$

Ben eligió Ⓐ como la respuesta correcta. ¿Cómo obtuvo él esa respuesta?

¿Cuántos cuadrados hay en el rectángulo entero?

EN PAREJA

¿Qué crees que pensaba Ben cuando eligió su respuesta?

4 Un rectángulo está dividido en cuadrados del mismo tamaño. Cuatro de los cuadrados están sombreados. El área de las partes sombreadas es $\frac{1}{2}$ del área del rectángulo entero. ¿Cuántos cuadrados forman el rectángulo entero?

Ⓐ 2 cuadrados   Ⓑ 4 cuadrados

Ⓒ 8 cuadrados   Ⓓ 16 cuadrados

5 Un rectángulo está dividido en 6 cuadrados del mismo tamaño. ¿Cuántos cuadrados cubren $\frac{1}{2}$ del área del rectángulo?

6 Los siguientes rectángulos tienen el mismo tamaño. Dani quiere sombrear $\frac{1}{3}$ del área de cada rectángulo. Usa los siguientes rectángulos para mostrar tres maneras diferentes de sombrear $\frac{1}{3}$.

¿Cuántos cuadrados debes sombrear para cubrir $\frac{1}{3}$ del área de uno de los rectángulos?

.... cuadrados

7 Divide cada octágono en 4 partes iguales. Luego sombrea una o más partes de cada uno para mostrar dos fracciones unitarias diferentes. Escribe la fracción debajo de cada octágono. Luego compara las fracciones usando $<$, $>$ o $=$.

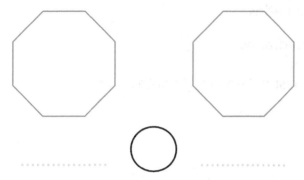

8 DIARIO DE MATEMÁTICAS

Supón que divides un hexágono en 6 partes iguales. Explica cómo podrías sombrear las partes para mostrar tres fracciones unitarias diferentes.

☑ COMPRUEBA TU PROGRESO Vuelve al comienzo de la Unidad 6 y mira qué destrezas puedes marcar.

Reflexión

En esta unidad aprendiste a . . .

Destreza	Lección
Describir figuras, compararlas y colocarlas en grupos que digan en qué se parecen, por ejemplo: según su número de lados o si tienen ángulos rectos.	30, 31
Comparar cuadriláteros y colocarlos en grupos según sus atributos, por ejemplo: los 4 lados tienen la misma longitud o tiene 2 pares de lados paralelos.	31
Resolver problemas sobre perímetros, incluido hallar una longitud de lado desconocida, y hallar rectángulos que tengan el mismo perímetro y distintas áreas o la misma área y diferentes perímetros.	32
Dividir rectángulos en partes de igual área y nombrar el área de las partes sombreadas usando fracciones unitarias.	33

Piensa en lo que has aprendido.

Usa palabras, números y dibujos.

1 Dos cosas que aprendí en matemáticas son . . .

2 Algo que sé bien es . . .

3 Podría practicar más con . . .

Trabaja con figuras

Estudia un problema y su solución

EPM 1 Entender problemas y perseverar en resolverlos.

Lee el siguiente problema sobre figuras. Luego mira cómo Bella resolvió el problema.

Figuras de papel

Bella recicla papel de colores y papel para regalos. Recorta el papel en figuras diferentes. Guarda las figuras para hacer manualidades. A veces busca trozos que tengan cierto tipo de lados. A veces busca figuras que tengan cierto tipo de ángulos. Bella necesita clasificar las figuras que se muestran abajo.

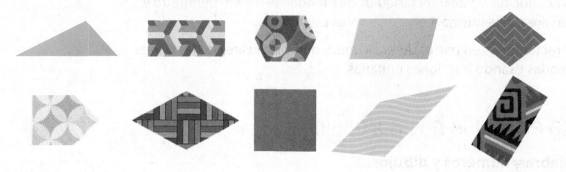

Muestra una manera de clasificar todas las figuras. Puedes agrupar las figuras según sus lados o sus ángulos. Haz al menos dos grupos. Asegúrate de que cada figura pertenezca a al menos un grupo. Coloca cada figura en cada grupo al que pertenece.

Lee la solución que aparece en la página siguiente. Luego mira la lista de chequeo de abajo. Marca las partes de la solución que corresponden a la lista.

☑ LISTA DE CHEQUEO PARA LA SOLUCIÓN DE PROBLEMAS

☐ Di lo que se sabe.

☐ Di lo que pide el problema.

☐ Muestra todo tu trabajo.

☐ Muestra que la solución tiene sentido.

a. Haz un círculo alrededor de lo que se sabe.

b. Subraya las cosas que hace falta averiguar.

c. Encierra en un cuadro lo que se hace para resolver el problema.

d. Pon una marca ✓ junto a la parte que muestra que la solución tiene sentido.

LA SOLUCIÓN DE BELLA

- **Puedo ver figuras que . . .**
  - tienen 3 lados, 4 lados, 5 lados y 6 lados.
  - tienen lados de la misma longitud.
  - tienen lados que son todos diferentes.

- **También veo figuras que . . .**
  - tienen 3 ángulos, 4 ángulos, 5 ángulos y 6 ángulos.
  - tienen esquinas cuadradas.
  - no tienen esquinas cuadradas.

- **Clasificaré las figuras en dos grupos.**

  Formaré un grupo de figuras que tengan algunos lados de la misma longitud.

  Formaré un grupo de figuras que no tengan esquinas cuadradas.

Hola, soy Bella. Así fue como resolví este problema.

Primero miré para ver qué tipos de figuras hay.

Una tabla es una buena manera de mostrar grupos.

Algunos lados con la misma longitud	
Sin esquinas cuadradas	

Hay 8 figuras en un grupo.

Hay 6 figuras en el otro grupo.

Hay 4 figuras que están en ambos grupos.

Todas las figuras se usan al menos una vez.

Prueba otro método

Algunos problemas tienen más de una respuesta. Piensa en cómo hallar una respuesta diferente al problema de las "Figuras de papel".

Figuras de papel

Bella recicla papel de colores y papel para regalos. Recorta el papel en figuras diferentes. Guarda las figuras para hacer manualidades. A veces busca trozos que tengan cierto tipo de lados. A veces busca figuras que tengan cierto tipo de ángulos. Bella necesita clasificar las figuras que se muestran abajo.

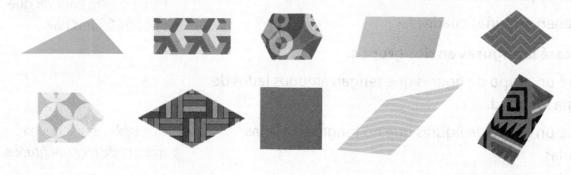

Muestra una manera de clasificar todas las figuras. Puedes agrupar las figuras según sus lados o sus ángulos. Haz al menos dos grupos. Asegúrate de que cada figura pertenezca a al menos un grupo. Coloca cada figura en cada grupo al que pertenece.

PLANEA

Contesta las siguientes preguntas para empezar a pensar en un plan.

A. ¿Cuáles son algunos de los distintos grupos que podrías usar?

B. ¿Cómo podría estar una figura en dos grupos?

RESUELVE

Halla una solución distinta al problema de las "Figuras de papel". Muestra todo tu trabajo en una hoja de papel aparte.

Tal vez quieras usar las sugerencias de abajo para empezar.

SUGERENCIAS PARA RESOLVER PROBLEMAS

● **Herramientas** Tal vez quieras usar . . .

- una tabla.
- papel cuadriculado.

● **Banco de palabras**

lados	esquina cuadrada	longitud
ángulos	lados opuestos	

● **Oraciones modelo**

- _____ tiene lados que _____

- Los ángulos en _____

☑ **LISTA DE CHEQUEO PARA LA SOLUCIÓN DE PROBLEMAS**

Asegúrate de . . .

☐ decir lo que se sabe.
☐ decir lo que pide el problema.
☐ mostrar todo tu trabajo.
☐ mostrar que la solución tiene sentido.

REFLEXIONA

Usa las prácticas matemáticas Elige una de las siguientes preguntas y coméntala con un compañero.

- **Usa herramientas** ¿Qué herramientas podrían ayudarte a saber sobre los lados y los ángulos de las figuras?

- **Sé preciso** ¿Cuáles son algunas de las distintas palabras que puedes usar para nombrar las figuras en este problema?

Comenta modelos y estrategias

**Lee el problema. Escribe una solución en una hoja de papel aparte.
Recuerda que puede haber muchas maneras de resolver un problema.**

Recortar cuadrados

Bella tiene algunos trozos cuadrados de papel que son del mismo tamaño. Planea recortar cada cuadrado en partes iguales. Luego clasificará las partes según su forma.

Estas son las notas de Bella sobre cómo quiere recortar los cuadrados.

Mis notas

- Recortar cada cuadrado en el mismo número de partes iguales.

- Hacer 4 o más partes iguales de cada cuadrado.

- Cada cuadrado debe cortarse en partes iguales que se vean diferentes de las partes iguales de los otros cuadrados.

¿Cómo debería Bella recortar sus cuadrados?

PLANEA Y RESUELVE

Halla una solución al problema de "Recortar cuadrados".

Ayuda a Bella a decidir cómo recortar los cuadrados.

• Elige un número de partes iguales.

• Divide los cuatro cuadrados en ese número de partes iguales de varias maneras.

• Escribe la fracción que puede usarse para nombrar una parte igual.

• Haz una lista de todos los nombres de figuras que pueden usarse para describir las partes iguales para cada cuadrado.

Tal vez quieras usar las sugerencias de abajo para empezar.

SUGERENCIAS PARA RESOLVER PROBLEMAS

● **Preguntas**

  • ¿Cómo puedes describir los lados de las figuras más pequeñas que hiciste?

  • ¿Cómo se ven los ángulos de tus figuras?

● **Banco de palabras**

cuadrilátero	rectángulo	medir
triángulo	cuadrado	fracción

☑ LISTA DE CHEQUEO PARA LA SOLUCIÓN DE PROBLEMAS

Asegúrate de . . .
☐ decir lo que se sabe.
☐ decir lo que pide el problema.
☐ mostrar todo tu trabajo.
☐ mostrar que la solución tiene sentido.

REFLEXIONA

Usa las prácticas matemáticas Elige una de las siguientes preguntas y coméntala con un compañero.

• **Usa herramientas** ¿Qué herramientas puedes usar para dibujar las partes iguales? ¿Cómo puedes usar estas herramientas?

• **Critica el razonamiento** Dile a tu compañero cómo nombraste las figura. ¿Están de acuerdo? Di por qué sí o por qué no.

Persevera por tu cuenta

Lee los problemas. Escribe una solución en una hoja de papel aparte.

Bandejas rectangulares para refrigerios

Bella conoce en el centro comunitario a un artista que teje bandejas.
Bella le pide al artista que le haga dos bandejas para refrigerios.
Abajo se muestran las ideas de Bella.

Mis ideas

- Cada bandeja debe tener forma de rectángulo.

- Ambas bandejas deben tener la misma área.

- El perímetro de cada figura debe ser diferente.

- El área de cada figura debe ser menor a
  100 pulgadas cuadradas.

¿Qué tamaño de bandejas puede pedirle Bella al
artista que haga?

RESUELVE

Ayuda a Bella a decidir que tamaño de bandeja pedirle.

• Elige un área que sea menor de 100 pulgadas cuadradas.

• Muestra dos maneras distintas de formar esta área.

• Halla el perímetro de cada rectángulo y muestra que son diferentes.

REFLEXIONA

Usa las prácticas matemáticas Elige una de las siguientes preguntas y coméntala
con un compañero.

• **Persevera** ¿Cómo elegiste el número que usaste para el área?

• **Sé preciso** ¿Cómo comprobaste que tu solución era correcta?

La exhibicion de Bella

Bella hace una exhibición sobre mosaicos artísticos. Usa trozos cuadrados pequeños de papel para hacer un diseño colorido. En la exhibición, las personas pueden inscribirse en un concurso de diseño de mosaicos. Estas son las reglas para el concurso.

Diseño 1

- Usar hasta 48 cuadrados.
- Colocar los cuadrados en filas iguales.

Diseño 2

- Usar el mismo número de cuadrados que en el diseño 1.
- Formar un rectángulo que tenga un perímetro diferente.

¿Cuáles son dos diseños que podrían entrar en el concurso?

RESUELVE

Inscríbete en el concurso de mosaicos de Bella.

Sigue las reglas de Bella para hacer dos dibujos diferentes.

- Elegir un número de cuadrados para usar.

- Hacer dos dibujos.

- Escribir ecuaciones de multiplicación para mostrar el número de filas, el número de cuadrados que hay en cada fila y el número total de cuadrados.

- Escribir ecuaciones para mostrar el perímetro de cada diseño.

REFLEXIONA

Usa las prácticas matemáticas Elige una de las siguientes preguntas y coméntala con un compañero.

- **Razona matemáticamente** ¿Cómo elegiste el número de cuadrados que debías usar?

- **Usa un modelo** ¿Cómo se relaciona cada ecuación que escribiste con el diseño?

1 Rami clasifica figuras en grupos. ¿Qué figura pertenece al grupo
4 ángulos rectos?

Ⓐ

Ⓑ

Ⓒ

Ⓓ

2 ¿Qué palabras se pueden usar para describir la figura de la derecha?
Selecciona todas las respuestas correctas.

Ⓐ triángulo rectángulo

Ⓑ paralelogramo

Ⓒ rectángulo

Ⓓ rombo

Ⓔ cuadrado

3 Abbie coloca un escritorio y una mesa juntos
para formar la figura de la derecha. El perímetro
es de 36 metros. ¿Cuál es la longitud lateral
desconocida en metros? Muestra tu trabajo.

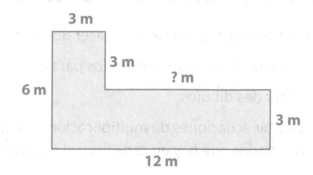

4. Dae tejió una bufanda que tiene forma de rectángulo. La bufanda mide 8 pulgadas de ancho. Su área es de 480 pulgadas cuadradas. ¿Cuál es el perímetro de su bufanda? Muestra tu trabajo.

Solución ....

5. Completa la tabla escribiendo las letras de las figuras que pertenecen a cada grupo. Algunas figuras pueden pertenecer a más de un grupo.

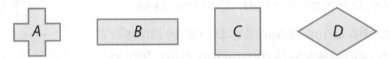

Al menos 1 ángulo recto	Es un paralelogramo	Todos los lados de la misma longitud

6. Adrick dividió un rectángulo en 2 filas iguales con 4 cuadrados en cada fila. ¿Qué fracción del rectángulo de Adrick está cubierta por 2 cuadrados? Muestra tu trabajo.

Solución ....

Prueba de rendimiento

Contesta las preguntas y muestra todo tu trabajo en una hoja de papel aparte.

Lee cada una de las adivinanzas de abajo. Usa las pistas para dibujar la figura o figuras que creas que describen. Nombra las figuras cuando sea posible. Una adivinanza puede tener más de una respuesta.

1. Soy una figura de cuatro lados. ¿Qué podría ser?

2. Soy una figura de cuatro lados. Tengo dos pares de lados paralelos. ¿Qué podría ser?

3. Soy una figura de cuatro lados. Tengo dos pares de lados paralelos. Todos mis lados tienen la misma longitud. ¿Qué podría ser?

4. Soy una figura de cuatro lados. Tengo dos pares de lados paralelos. Todos mis lados tienen la misma longitud. Tengo cuatro ángulos rectos. ¿Qué podría ser?

Lista de chequeo

☐ ¿Escribiste al menos 3 pistas para cada figura que elegiste?

☐ ¿Usaste el vocabulario de la unidad?

☐ ¿Dibujaste todas las figuras posibles para cada adivinanza?

Elige dos de las figuras de abajo. Escribe una adivinanza para cada figura. Usa el vocabulario de la unidad. Cada adivinanza debería tener al menos tres pistas.

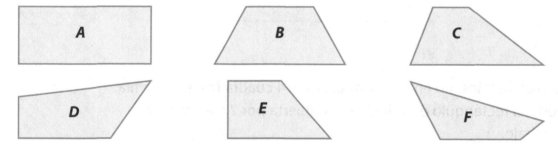

Elige un compañero y lee las pistas para una de tus figuras en voz alta. Pide a tu compañero que dibuje la figura que según él, describen las pistas. ¿El dibujo de tu compañero concuerda con la figura que elegiste? Explica en qué se pueden diferenciar la figura que elegiste y la figura que dibujó tu compañero, incluso si tu compañero no cometió un error.

REFLEXIONA

Usa las prácticas matemáticas Cuando termines, escoge una de estas preguntas y contéstala.

- **Sé preciso** Haz una lista de todas las palabras de geometría que usaste para escribir tus pistas. ¿Qué significa cada palabra?

- **Usa herramientas** ¿Qué herramientas podrías usar para hacer un dibujo preciso de tus figuras? ¿Por qué necesitarías cada una de estas herramientas?

Dibuja o escribe para dar un ejemplo de cada término. Luego dibuja o escribe para mostrar otras palabras de matemáticas de la unidad.

ángulo recto ángulo que parece la esquina de un cuadrado.

Mi ejemplo

atributo característica de un objeto o una figura, como el número de lados o ángulos, la longitud de los lados o la medida de los ángulos.

Mi ejemplo

paralelo que siempre está a la misma distancia.

Mi ejemplo

paralelogramo cuadrilátero con lados opuestos paralelos e iguales en longitud.

Mi ejemplo

perímetro longitud del contorno de una figura bidimensional. El perímetro es igual al total de las longitudes de los lados.

Mi ejemplo

rectángulo cuadrilátero que tiene 4 ángulos rectos. Los lados opuestos de un rectángulo tienen la misma longitud.

Mi ejemplo

Mi palabra: _____

_____

_____

Mi ejemplo

Mi palabra: _____

_____

_____

Mi ejemplo

Mi palabra: _____

_____

_____

Mi ejemplo

Mi palabra: _____

_____

_____

Mi ejemplo

Mi palabra: _____

_____

_____

Mi ejemplo

Mi palabra: _____

_____

_____

Mi ejemplo

Práctica acumulativa

Nombre: _____

Conjunto 1: Cuenta para hallar el área

Cuenta para hallar el área.

 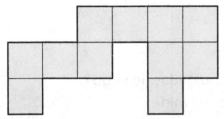

Área = _____ unidades cuadradas

 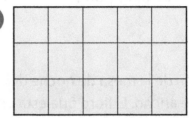

Área = _____ unidades cuadradas

1 pulgada cuadrada

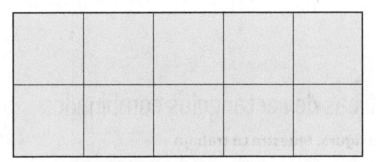

Área = _____ pulgadas cuadradas

Conjunto 2: Multiplica para hallar el área

Resuelve los problemas. Haz un dibujo para mostrar tu trabajo.

1. Un rectángulo que tiene una longitud de 3 pulgadas y ancho 6 pulgadas. ¿Cuál es el área del rectángulo?

2. Un cuadrado tiene lados que miden 5 centímetros de largo. ¿Cuál es el área?

Área = _____ pulgadas cuadradas

Área = _____ centímetros cuadrados

Conjunto 3: Resuelve problemas verbales sobre área

Resuelve los problemas. Muestra tu trabajo.

1 Una mesa de ping-pong mide 9 pies de largo y 5 pies de ancho. ¿Cuál es el área de la mesa de ping-pong?

2 La parte de arriba de la mesa de noche de Jessica mide 12 pulgadas de largo y 10 pulgadas de ancho. El libro que está en su mesa de noche mide 8 pulgadas de largo y 6 pulgadas de ancho. ¿Cuánto de la parte de arriba de la mesa de noche de Jessica NO está cubierta por el libro?

Conjunto 4: Halla áreas de rectángulos combinados

Halla el área total de cada figura. Muestra tu trabajo.

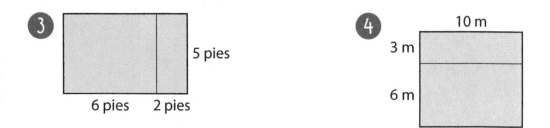

1
6 pulg.   6 pulg.
4 pulg.

2
5 cm
3 cm
8 cm

Área = ... pulgadas cuadradas   Área = ... centímetros cuadrados

3
5 pies
6 pies   2 pies

4
10 m
3 m
6 m

Área = ... pies cuadrados   Área = ... metros cuadrados

Conjunto 5: Halla el área de figuras no rectangulares

Halla el área de cada figura. Muestra tu trabajo.

1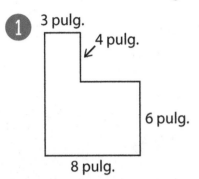

3 pulg.

4 pulg.

6 pulg.

8 pulg.

2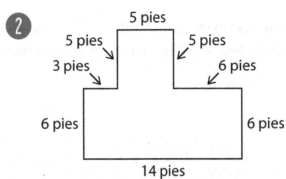

5 pies

5 pies   5 pies

3 pies   6 pies

6 pies   6 pies

14 pies

Área = ... pulgadas cuadradas   Área = ... pies cuadrados

Conjunto 6: Resuelve problemas verbales usando la multiplicación y la división

Resuelve los problemas. Muestra tu trabajo.

1 El laboratorio de computación tiene 4 filas de computadoras. Hay 7 computadoras en cada fila. ¿Cuántas computadoras hay en el laboratorio de computación?

.... computadoras

2 Quincy tiene que leer 24 páginas de un libro. Tiene 3 días para terminarlo de leer. Si lee el mismo número de páginas por día, ¿cuántas páginas leerá en un día?

.... páginas

Conjunto 7: Resuelve problemas verbales de dos pasos

Resuelve los problemas. Muestra tu trabajo.

1 El club de teatro recaudó $230 para su próxima producción. Compraron 8 yardas de tela a $10 por yarda. ¿Cuánto dinero, d, les queda?

2 Mike tenía 18 tarjetas de regalo de la tienda de comestibles. Cada tarjeta tenía un valor de $5. Las dividió por igual entre 6 amigos. ¿Cuánto dinero, r, tiene cada amigo para gastar en la tienda de comestibles?

Conjunto 8: Patrones en números

Completa los espacios en blanco con *par* o *impar*.

1 La suma de dos números pares siempre es ....

2 La suma de dos números impares siempre es ....

3 La suma de un número impar y un número par siempre es ....

Conjunto 9: Datos de multiplicación y división

Resuelve los problemas.

1 $4 \times$ .... $= 12$

2 $15 \div$ .... $= 3$

3 .... $\times 5 = 30$

4 .... $\div 5 = 5$

5 $3 \times$ .... $= 18$

6 $24 \div$ .... $= 8$

7 $3 \times$ .... $= 27$ $27 \div 9 =$ ....

8 .... $\times 7 = 42$ $42 \div 6 =$ ....

.... $\times 3 = 27$ .... $\div 3 = 9$ $7 \times$ .... $= 42$ $42 \div$ .... $= 6$

Conjunto 1: Fracciones

Escribe la fracción de cada figura sombreada para los problemas 1 a 3.

 ① 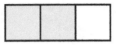 ② 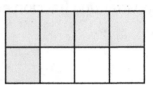 ③

....

Escribe cada fracción en palabras para los problemas 4 a 7.

④ $\frac{1}{2}$ ....

⑤ $\frac{1}{6}$ ....

⑥ $\frac{6}{8}$ ....

⑦ $\frac{3}{6}$ ....

Conjunto 2: Fracciones en una recta numérica

Identifica las fracciones que nombran las letras en cada recta numérica.

①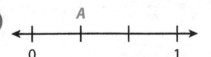

A es ....

②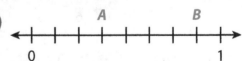

A es ....

B es ....

③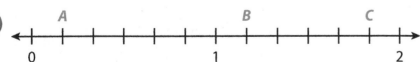

A es .... *B* es .... *C* es ....

Conjunto 3: Fracciones equivalentes

Usa los modelos para identificar fracciones equivalentes.

1 Rotula cada parte de los modelos. Sombrea los modelos para mostrar una fracción equivalente a $\frac{3}{4}$.

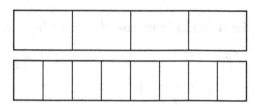

$$\frac{3}{4} = \text{..................}$$

2 Rotula las rectas numéricas. Identifica la fracción equivalente.

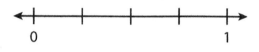

$$\frac{2}{4} = \text{..................}$$

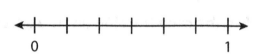

Conjunto 4: Halla fracciones equivalentes

Llena el espacio en blanco para completar la fracción equivalente.

1 $\frac{1}{3} = \frac{\Box}{6}$

2 $\frac{1}{2} = \frac{\Box}{8}$

3 $\frac{10}{6} = \frac{\Box}{3}$

4 $\frac{1}{4} = \frac{\Box}{8}$

5 $\frac{4}{6} = \frac{\Box}{3}$

6 $\frac{2}{4} = \frac{\Box}{2}$

Conjunto 5: Escribe números enteros como fracciones

Completa el espacio en blanco para escribir una fracción para cada número entero en los problemas 1 a 6.

1 $1 = \frac{\Box}{4}$

2 $1 = \frac{\Box}{8}$

3 $1 = \frac{\Box}{6}$

4 $4 = \frac{\Box}{1}$

5 $2 = \frac{\Box}{1}$

6 $2 = \frac{\Box}{2}$

Escribe el número entero para cada fracción en los problemas 7 a 9.

7 $\frac{7}{1} = \text{..................}$

8 $\frac{1}{1} = \text{..................}$

9 $\frac{3}{1} = \text{..................}$

Conjunto 6: Compara fracciones

Escribe <, > o = en cada círculo para comparar las fracciones.

1 $\frac{1}{2}$ ◯ $\frac{1}{6}$ **2** $\frac{5}{6}$ ◯ $\frac{4}{6}$ **3** $\frac{2}{8}$ ◯ $\frac{3}{8}$

4 $\frac{9}{3}$ ◯ $\frac{10}{3}$ **5** $\frac{5}{6}$ ◯ $\frac{5}{8}$ **6** $\frac{2}{8}$ ◯ $\frac{2}{4}$

7 $\frac{2}{3}$ ◯ $\frac{2}{3}$ **8** $\frac{3}{6}$ ◯ $\frac{3}{4}$ **9** $\frac{1}{8}$ ◯ $\frac{1}{6}$

Conjunto 7: Multiplica para hallar el área

Halla el área de cada figura. Muestra tu trabajo.

1
4 pies

4 pies

2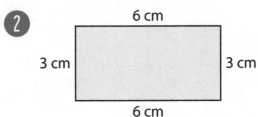

6 cm

3 cm   3 cm

6 cm

3 Un rectángulo con una longitud de 9 pulgadas y un ancho de 6 pulgadas.

4 Un cuadrado con lados de 8 pies.

5 Un rectángulo con una longitud de 5 metros y un ancho de 4 metros.

6 Un rectángulo con una longitud de 8 metros y un ancho de 1 metro.

Conjunto 8: Resuelve problemas verbales de dos pasos

Resuelve los problemas. Muestra tu trabajo.

1 Las barras de granola vienen en cajas de 5. En un armario, hay 2 estantes con 4 cajas llenas de barras de granola en cada uno. ¿Cuántas barras de granola hay en el armario?

2 Los estudiantes del club de arte recaudaron $72 para comprar materiales de arte. Gastaron $30 en papel. Quieren gastar el resto del dinero en pintura. Cada color de pintura cuesta $6. ¿Cuántos colores de pintura pueden comprar?

3 Un panadero hizo 115 galletas. Empacó 7 cajas con 10 galletas en cada una. Las otras galletas no están en cajas. ¿Cuántas galletas no están en cajas?

Conjunto 9: Usa el orden y la agrupación para multiplicar

Completa los espacios en blanco.

1 $3 \times 7 = 7 \times$ _____

2 $9 \times 4 =$ _____ $\times 9$

3 $(3 \times 3) \times 3 = 9 \times$ _____

4 $4 \times 2 \times 5 = 4 \times$ _____

5 $8 \times 3 \times 2 =$ _____ $\times 8 \times 3$

6 $4 \times 8 = 4 \times ($ _____ $\times 4)$

7 $(4 \times$ _____ $) \times 6 = 4 \times (6 \times 5)$

8 _____ $\times 3 \times 2 = 7 \times 6$

Práctica acumulativa

Nombre: _____

Conjunto 1: La hora

Escribe la hora de dos maneras en los problemas 1 y 2.

....

.... minutos antes de las .... minutos después de las ....

Resuelve el problema 3. Muestra tu trabajo.

3 El partido de futbol de Steve comienza a las 5:30 p. m. Quiere estar en el campo 20 minutos antes de que comience el partido. Le toma 8 minutos llegar al campo. ¿A qué hora debe salir Steve de casa?

Conjunto 2: Volumen líquido

Resuelve los problemas. Muestra tu trabajo.

1 Alvaro usó una regadera de 5 litros de agua para regar sus flores. Llenó la regadera 6 veces y usó toda el agua. ¿Cuánta agua usó Alvaro para regar sus flores?

2 Un camión de agua puede contener 375 litros de agua. Ya hay 165 litros de agua en el camión. ¿Cuánta agua más puede contener el camión?

Conjunto 3: Masa

Resuelve los problemas. Muestra tu trabajo.

1 Ami compró algunas bolsas de manzanas de 3 kilogramos. En total, tiene 9 kilogramos de manzanas. ¿Cuántas bolsas de manzanas compró?

2 Kellan tiene un gato y un perro. La masa del perro es de 30 kilogramos. La masa del gato es de 5 kilogramos. ¿Cuál es la diferencia de masa entre el gato y el perro?

3 Joe lleva un libro y un lápiz. La masa del libro es de 360 gramos. La masa del lápiz es de 8 gramos. ¿Cuál es la masa total del libro y el lápiz?

4 Olive tiene 10 canicas. Cada una tiene una masa de 4 gramos. ¿Cuál es la masa total de sus canicas?

Conjunto 4: Fracciones en una recta numérica

Identifica las fracciones de cada letra de las rectas numéricas en los problemas 1 y 2.

1

A es ....

2
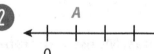

A es ....   B es ....

Rotula la fracción en la recta numérica en los problemas 3 y 4.

3 Escribe $\frac{1}{6}$.

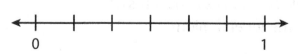

4 Escribe $\frac{5}{3}$.

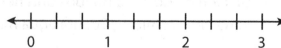

Conjunto 5: Fracciones equivalentes

Completa los números que faltan para formar fracciones equivalentes.

1 $\frac{2}{4} = \frac{\square}{2}$

2 $\frac{2}{3} = \frac{4}{\square}$

3 $\frac{3}{4} = \frac{\square}{8}$

4 $\frac{8}{8} = \frac{\square}{6}$

5 $\frac{1}{4} = \frac{\square}{8}$

6 $\frac{2}{6} = \frac{1}{\square}$

7 $\frac{1}{2} = \frac{4}{\square}$

8 $\frac{1}{2} = \frac{3}{\square}$

9 $\frac{3}{2} = \frac{\square}{4}$

Conjunto 6: Compara fracciones

Escribe <, > o = en cada círculo para comparar las fracciones.

1 $\frac{2}{3} \bigcirc \frac{2}{4}$

2 $\frac{2}{6} \bigcirc \frac{3}{6}$

3 $\frac{4}{8} \bigcirc \frac{4}{6}$

4 $\frac{1}{2} \bigcirc \frac{1}{2}$

5 $\frac{3}{4} \bigcirc \frac{3}{8}$

6 $\frac{5}{8} \bigcirc \frac{7}{8}$

7 $\frac{3}{4} \bigcirc \frac{1}{4}$

8 $\frac{3}{6} \bigcirc \frac{4}{6}$

9 $\frac{1}{2} \bigcirc \frac{1}{3}$

Conjunto 7: Suma áreas

Halla el área total de cada rectángulo. Muestra tu trabajo.

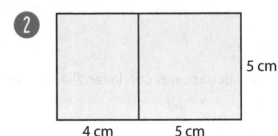

1 1 pie, 3 pies, 8 pies

2 5 cm, 4 cm, 5 cm

Conjunto 8: Multiplica

Multiplica para resolver los problemas. Muestra tu trabajo.

1 Un maestro dio 3 calcomanías a cada uno de sus 4 estudiantes. ¿Cuántas calcomanías les dio en total?

2 John compró 4 cajas de lápices. Cada caja tiene 5 lápices. ¿Cuántos lápices compró John?

3 Bianca leyó 6 capítulos. Cada capítulo tiene 9 páginas. ¿Cuántas páginas leyó?

4 Una panadera hizo 8 pasteles. Usó 7 manzanas en cada uno. ¿Cuántas manzanas usó la panadera en total?

Conjunto 9: Datos de multiplicación y división

Completa las familias de datos.

1 Escribe cuatro ecuaciones para la familia de datos con los números 5, 7 y 35.

$\underline{\hspace{3cm}} \times \underline{\hspace{2cm}} = \underline{\hspace{3cm}}$ $\underline{\hspace{3cm}} \div \underline{\hspace{2cm}} = \underline{\hspace{3cm}}$

$\underline{\hspace{3cm}} \times \underline{\hspace{2cm}} = \underline{\hspace{3cm}}$ $\underline{\hspace{3cm}} \div \underline{\hspace{2cm}} = \underline{\hspace{3cm}}$

2 Escribe cuatro ecuaciones con la familia de datos para $\square \div 4 = 8$.

$\underline{\hspace{3cm}} \times \underline{\hspace{2cm}} = \underline{\hspace{3cm}}$ $\underline{\hspace{3cm}} \div \underline{\hspace{2cm}} = \underline{\hspace{3cm}}$

$\underline{\hspace{3cm}} \times \underline{\hspace{2cm}} = \underline{\hspace{3cm}}$ $\underline{\hspace{3cm}} \div \underline{\hspace{2cm}} = \underline{\hspace{3cm}}$

3 Escribe cuatro ecuaciones con la familia de datos para $6 \times \square = 48$.

$\underline{\hspace{3cm}} \times \underline{\hspace{2cm}} = \underline{\hspace{3cm}}$ $\underline{\hspace{3cm}} \div \underline{\hspace{2cm}} = \underline{\hspace{3cm}}$

$\underline{\hspace{3cm}} \times \underline{\hspace{2cm}} = \underline{\hspace{3cm}}$ $\underline{\hspace{3cm}} \div \underline{\hspace{2cm}} = \underline{\hspace{3cm}}$

Ejemplo

Aa

a. m. horas desde la medianoche hasta el mediodía.

AM **7:20**

algoritmo conjunto de pasos que se siguen rutinariamente para resolver problemas.

$$\begin{array}{r} 1\ 1 \\ 4\ 5\ 6 \\ +\ 1\ 6\ 7 \\ \hline 6\ 2\ 3 \end{array}$$

ángulo esquina de una figura en la que se unen dos lados.

ángulo

ángulo recto ángulo que parece la esquina de un cuadrado.

90°

área cantidad de espacio dentro de una figura bidimensional cerrada. El área se mide en unidades cuadradas, tales como los centímetros cuadrados.

Área = 4 unidades cuadradas

arista segmento de recta donde se encuentran dos caras de una figura tridimensional.

arista

atributo característica de un objeto o una figura, como el número de lados o ángulos, la longitud de los lados o la medida de los ángulos.

atributos de un cuadrado
• 4 esquinas cuadradas
• 4 lados de igual longitud

Bb

bidimensional plano, o que tiene medidas en dos direcciones, como la longitud y el ancho. Por ejemplo, un rectángulo es bidimensional.

Cc

capacidad cantidad que cabe en un recipiente. La capacidad se mide en las mismas unidades que el volumen líquido.

capacidad de 2 litros

cara superficie plana de una figura sólida.

cara

centavo (¢) la menor unidad monetaria de Estados Unidos. Hay 100 centavos en 1 dólar.

1 centavo   1¢

centímetro (cm) unidad de longitud. Hay 100 centímetros en 1 metro.

Tu dedo meñique mide
1 centímetro (cm) de ancho.

Ejemplo

clave dice qué representa cada símbolo de una pictografía.

Puntos anotados durante el juego	
Aldo	
Celia	
Juan	
Marta	

Clave: Cada = 2 puntos.

↑
Clave

---

cociente el resultado de la división.

$$15 \div 3 = 5$$

---

columna línea vertical de objetos o números, como las de una matriz o una tabla.

---

comparar determinar si un número, una cantidad o un tamaño es mayor que, menor que o igual a otro número, otra cantidad u otro tamaño.

$$\frac{4}{6} < \frac{5}{6}$$

---

cuadrado cuadrilátero que tiene 4 esquinas cuadradas y 4 lados de igual longitud.

---

cuadrilátero figura bidimensional cerrada que tiene exactamente 4 lados y 4 ángulos.

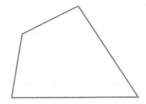

---

cuartos partes que se forman cuando se divide un entero en cuatro partes iguales.

cuartos

4 partes iguales

Ejemplo

Dd

datos conjunto de información reunida. A menudo es información numérica, tal como una lista de medidas.

Número de puntos anotados
Aldo: 2, Celia: 6, Juan: 10, Marta: 8

denominador número que está debajo de la línea en una fracción. Dice cuántas partes iguales hay en el entero.

$$\frac{2}{3}$$

diagrama de puntos representación de datos en la cual se muestran los datos como marcas sobre una recta numérica.

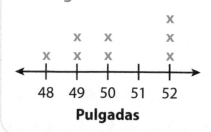

Longitudes de focas

```
                              x
         x     x              x
   x     x     x              x
   |─────|─────|─────|─────|─────
   48    49    50    51    52
              Pulgadas
```

diferencia el resultado de la resta.

$$\begin{array}{r} 475 \\ -\ 296 \\ \hline 179 \end{array}$$

dígito símbolo que se usa para escribir números.

Los dígitos son 0, 1, 2, 3, 4, 5, 6, 7, 8 y 9.

dimensión longitud en una dirección. Una figura puede tener una, dos o tres dimensiones.

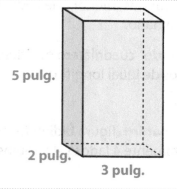

5 pulg.

2 pulg.

3 pulg.

dividendo el número que se divide por otro número.

$15 \div 3 = 5$

dividir separar en grupos iguales y hallar cuántos hay en cada grupo o el número de grupos.

15 globos   5 grupos de 3 globos

Ejemplo

división operación que se usa para separar una cantidad de cosas en grupos iguales.

División

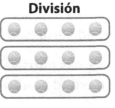

$$12 \div 3 = 4$$

total   número   número en
de grupos   cada grupo

---

divisor el número por el que se divide otro número.

$$15 \div 3 = 5$$

---

dólar ($) unidad monetaria de Estados Unidos. Hay 100 centavos en 1 dólar ($1).

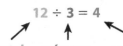

Ee

ecuación enunciado matemático en el que se usa un signo de igual (=) para mostrar que dos expresiones tienen el mismo valor.

$$25 - 15 = 10$$

---

ecuación de división ecuación que contiene un signo de división y un signo de igual.

$$15 \div 3 = 5$$

---

ecuación de multiplicación ecuación que contiene un signo de multiplicación y un signo de igual.

$$3 \times 5 = 15$$

---

escala (en una gráfica) el valor que representa la distancia entre una marca y la marca siguiente de una recta numérica.

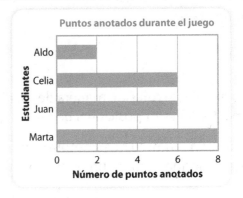

---

estimación suposición aproximada que se hace usando el razonamiento matemático.

$$28 + 21 = ?$$
$$30 + 20 = 50$$
50 es una estimación del total.

Ejemplo

estimar / hacer una estimación hacer una suposición aproximada usando el razonamiento matemático.

$28 + 21$ es aproximadamente 50.

estrategia de sumas parciales estrategia que se usa para sumar números de varios dígitos.

$$
\begin{array}{r}
312 \\
+\ 235 \\
\end{array}
$$

Se suman las centenas.   500

Se suman las decenas.   40

Se suman las unidades. $+\ \ \ 7$

547

expresión uno o más números, números desconocidos y/o símbolos de operaciones que representan una cantidad.

3×4 o $5 + b$

Ff

factor número que se multiplica.

$4 \times 5 = 20$

factores

familia de datos grupo de ecuaciones relacionadas que tienen los mismos números, ordenados de distinta manera, y dos símbolos de operaciones diferentes. Una familia de datos puede mostrar la relación que existe entre la suma y la resta.

$5 \times 4 = 20$

$4 \times 5 = 20$

$20 \div 4 = 5$

$20 \div 5 = 4$

fila línea horizontal de objetos o números, como en uma matriz o una tabla.

forma desarrollada manera de escribir un número para mostrar el valor posicional de cada dígito.

$249 = 200 + 40 + 9$

fracción número que nombra partes iguales de un entero. Una fracción nombra un punto en una recta numérica.

$\frac{3}{4}$

fracción unitaria fracción cuyo numerador es 1. Otras fracciones se construyen a partir de fracciones unitarias.

$\frac{1}{4}$

fracciones equivalentes dos o más fracciones diferentes que nombran la misma parte de un entero y el mismo punto en una recta numérica.

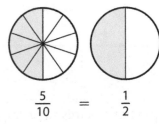

$$\frac{2}{4} = \frac{1}{2}$$

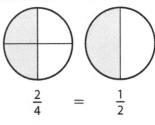

$$\frac{5}{10} = \frac{1}{2}$$

Gg

gráfica de barras representación de datos en la cual se usan barras para mostrar el número de cosas de cada categoría.

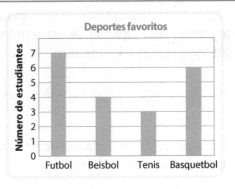

gramo (g) unidad de masa del sistema métrico. Un clip tiene una masa de aproximadamente 1 gramo. Hay 1,000 gramos en 1 kilogramo.

1,000 gramos = 1 kilogramo

Hh

hexágono figura bidimensional cerrada que tiene 6 lados rectos y 6 ángulos.

hora (h) unidad de tiempo. Hay 60 minutos en 1 hora.

 60 minutos = 1 hora

Ejemplo

horario la manecilla más corta de un reloj. Muestra las horas.

horario

Ii

igual que tiene el mismo valor, el mismo tamaño o la misma cantidad.

$$25 + 15 = 40$$
$25 + 15$ **es igual a** 40.

Kk

kilogramo (kg) unidad de masa del sistema métrico. Hay 1,000 gramos en 1 kilogramo.

$$1{,}000 \text{ gramos} = 1 \text{ kilogramo}$$

Ll

lado segmento de recta que forma parte de una figura bidimensional.

lado

litro (L) unidad de volumen líquido del sistema métrico. Hay 1,000 mililitros en 1 litro.

$$1{,}000 \text{ mililitros} = 1 \text{ litro}$$

longitud medida que indica la distancia de un punto a otro, o lo largo que es un objeto.

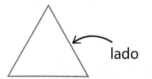

longitud

Mm

masa la cantidad de materia que hay en un objeto. Medir la masa de un objeto es una manera de medir qué tan pesado es. Las unidades de masa incluyen el gramo y el kilogramo.

La masa de un clip es aproximadamente 1 gramo.

Ejemplo

matriz conjunto de objetos agrupados en filas y columnas iguales.

medios partes que se forman cuando se divide un entero en dos partes iguales.

medios

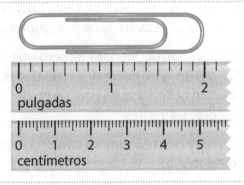

2 partes iguales

medir determinar la longitud, la altura o el peso de un objeto comparándolo con una unidad conocida.

metro (m) unidad de longitud del sistema métrico. Hay 100 centímetros en 1 metro.

100 centímetros = 1 metro

minutero la manecilla más larga de un reloj. Muestra los minutos.

minuto (min) unidad de tiempo. Hay 60 minutos en 1 hora.

60 minutos = 1 hora

multiplicación operación que se usa para hallar el número total de objetos en un número dado de grupos de igual tamaño.

3 grupos de 2 pelotas es 6.
3 × 2 = 6

Ejemplo

multiplicar sumar el mismo número una y otra vez una cierta cantidad de veces. Se multiplica para hallar el número total de objetos que hay en grupos de igual tamaño.

						42
						36
						30
						24
						18
						12
						6

$$7 \times 6 = 42$$

Nn

numerador número que está encima de la línea en una fracción. Dice cuántas partes iguales se describen.

$\dfrac{2}{3}$

número impar número entero que siempre tiene el dígito 1, 3, 5, 7 o 9 en la posición de las unidades. Los números impares no pueden ordenarse en pares o en dos grupos iguales sin que queden sobrantes.

21, 23, 25, 27 y 29 son números impares.

número mixto número con una parte entera y una parte fraccionaria.

$2\dfrac{3}{8}$

número par número entero que siempre tiene 0, 2, 4, 6 u 8 en la posición de las unidades. Un número par de objetos puede agruparse en pares o en dos grupos iguales sin que queden sobrantes.

20, 22, 24, 26 y 28 son números pares.

Oo

operación acción matemática como la suma, la resta, la multiplicación y la división.

$$15 + 5 = 20$$
$$20 - 5 = 15$$
$$4 \times 6 = 24$$
$$24 \div 6 = 4$$

Pp

p. m. horas desde el mediodía hasta la medianoche.

paralelo que siempre está a la misma distancia.

paralelogramo cuadrilátero con lados opuestos paralelos e iguales en longitud.

patrón serie de números o figuras que siguen una regla para repetirse o cambiar.

pentágono figura bidimensional cerrada que tiene exactamente 5 lados y 5 ángulos.

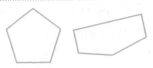

perímetro longitud del contorno de una figura bidimensional. El perímetro es igual al total de las longitudes de los lados.

El perímetro de la cancha de futbol es de 200 yardas.
(60 yd + 40 yd + 60 yd + 40 yd)

pictografía representación de datos por medio de dibujos.

pie unidad de longitud del sistema usual. Hay 12 pulgadas en 1 pie.

12 pulgadas = 1 pie

producto el resultado de la multiplicación.

$5 \times 3 = 15$

propiedad asociativa de la multiplicación cambiar la agrupación de tres o más factores no cambia el producto.

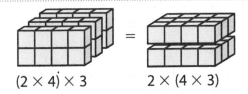

$(2 \times 4) \times 3$ $2 \times (4 \times 3)$

propiedad asociativa de la suma cambiar la agrupación de tres o más sumandos no cambia el total.

$(2 + 3) + 4 \quad = \quad 2 + (3 + 4)$

Ejemplo

propiedad conmutativa de la multiplicación cambiar el orden de los factores no cambia el producto.

$3 \times 2 \quad = \quad 2 \times 3$

propiedad conmutativa de la suma cambiar el orden de los sumandos no cambia el total.

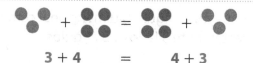

$3 + 4 \quad = \quad 4 + 3$

propiedad distributiva cuando uno de los factores de un producto se escribe como una suma, multiplicar cada sumando por el otro factor antes de sumar no cambia el producto.

$2 \times (3 + 6) = (2 \times 3) + (2 \times 6)$

pulgada (pulg.) unidad de longitud del sistema usual. Hay 12 pulgadas en 1 pie.

El diámetro de una moneda de 25¢ es aproximadamente 1 **pulgada** (pulg.).

Rr

reagrupar unir o separar unidades, decenas o centenas.

10 unidades se pueden reagrupar como 1 decena, o 1 centena se puede reagrupar como 10 decenas.

recta numérica recta que tiene marcas separadas por espacios iguales; las marcas muestran números.

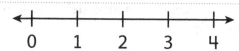
0 1 2 3 4

rectángulo paralelogramo que tiene 4 ángulos rectos. Los lados opuestos de un rectángulo tienen la misma longitud.

redondear hallar un número que es cercano en valor al número dado hallando la decena, la centena u otro valor posicional más cercano.

48 redondeado a la decena más cercana es 50.

regla procedimiento que se sigue para ir de un número o una figura al número o la figura siguiente de un patrón.

17, 22, 27, 32, 37, 42
regla: sumar 5

Ejemplo

reloj analógico reloj que muestra la hora con un horario y un minutero.

horario ← → minutero

reloj digital reloj que usa dígitos para mostrar la hora.

restar quitar una cantidad a otra, o comparar dos números para hallar la diferencia.

$$365 - 186 = 179$$

rombo cuadrilátero cuyos lados tienen todos la misma longitud.

Ss

segundo (s) unidad de tiempo. Hay 60 segundos en 1 minuto.

60 segundos = 1 minuto

signo de igual (=) símbolo que significa *tiene el mismo valor que.*

$$12 + 4 = 16$$

símbolo de mayor que (>) símbolo que se usa para comparar dos números cuando el primero es mayor que el segundo.

$$\frac{1}{2} > \frac{1}{4}$$

símbolo de menor que (<) símbolo que se usa para comparar dos números cuando el primero es menor que el segundo.

$$\frac{1}{4} < \frac{1}{2}$$

sistema métrico sistema de medición. La longitud se mide en metros; el volumen líquido en litros; y la masa en gramos.

Longitud
1 kilómetro = 1,000 metros
1 metro = 100 centímetros
1 metro = 1,000 milímetros

Masa
1 kilogramo = 1,000 gramos

Volumen
1 litro = 1,000 mililitros

Ejemplo

sistema usual sistema de medición comúnmente usado en Estados Unidos. La longitud se mide en pulgadas, pies, yardas y millas; el volumen líquido en tazas, pintas, cuartos y galones; y el peso en onzas y libras.

Longitud
1 pie = 12 pulgadas
1 yarda = 3 pies
1 milla = 5,280 pies

Peso
1 libra = 16 onzas

Volumen líquido
1 cuarto = 2 pintas
1 cuarto = 4 tazas
1 galón = 4 cuartos

suma el resultado de sumar dos o más números.

$34 + 25 = \mathbf{59}$

sumando número que se suma.

$4 + 7 = 11$

sumandos

sumar combinar o hallar el total de dos o más cantidades.

$$\begin{array}{r} 147 \\ + 212 \\ \hline 359 \end{array}$$

sumas parciales las sumas que se obtienen en cada paso de la estrategia de sumas parciales. Se usa el valor posicional para hallar sumas parciales.

Las sumas parciales para $124 + 234$ son $100 + 200$ o 300, $20 + 30$ o 50, y $4 + 4$ u 8.

Tt

tabla de multiplicación tabla que muestra multiplicaciones y sus resultados.

	0	1	2	3	4	5
0	0	0	0	0	0	0
1	0	1	2	3	4	5
2	0	2	4	6	8	10
3	0	3	6	9	12	15
4	0	4	8	12	16	20
5	0	5	10	15	20	25

Ejemplo

tercios partes que se forman cuando se divide un entero en tres partes iguales.

tercios

3 partes iguales

tiempo transcurrido tiempo que ha pasado entre el momento de inicio y el fin.

El tiempo transcurrido desde las 2:00 p. m. hasta las 3:00 p. m. es 1 hora.

trapecio cuadrilátero que tiene al menos un par de lados paralelos.

triángulo figura bidimensional cerrada que tiene exactamente 3 lados y 3 ángulos.

tridimensional sólido, o que tiene longitud, ancho y altura. Por ejemplo, los cubos son tridimensionales.

Uu

unidad cuadrada el área de un cuadrado que tiene lados de 1 unidad de longitud.

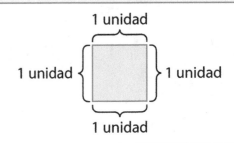

Vv

valor posicional valor de un dígito según su posición en un número.

Centenas	Decenas	Unidades
4	4	4
↓	↓	↓
400	40	4

Ejemplo

vértice punto donde dos semirrectas, rectas o segmentos de recta se cruzan y forman un ángulo.

vértice

volumen líquido cantidad de espacio que ocupa un líquido.

Cuando se mide cuánta agua hay en un balde, se está midiendo el volumen líquido.

Yy

yarda (yd) unidad de longitud del sistema usual de Estados Unidos. Hay 3 pies, o 36 pulgadas, en 1 yarda.

3 pies = 1 yarda
36 pulgadas = 1 yarda

Agradecimientos

Common Core State Standards Spanish Language Version © Copyright 2013. San Diego County Office of Education, San Diego, California. All rights reserved.

Créditos de la portada

©Teri Lyn Fisher/Offset

Créditos de las fotografías

Imágenes de monedas de los Estados Unidos (a menos que se indique lo contrario) son de la United States Mint.

Imágenes usadas bajo licencia de **Shutterstock.com**.

iii ArtMari, lendy16; **iv** Dimedrol68; **v** akiyoko, Vadim; **vi** Artismo, Hurst Photo, Rashad Ashurov, trekandshoot; **vii** sumire8, TerryM; **viii** CyrilLutz, Kaiskynet; **1** Kristina Vackova; **3** Erica Truex, Iraidka; **4** En min Shen, Erica Truex; **9** Erica Truex, Seregam; **10** Billion Photos, Erica Truex, EtiAmmos; **13** Erica Truex, Ralko; **14** blue67design, Erica Truex, Jagodka, LHF Graphics, Nina_Susik; **15** Edwin Verin, Erica Truex, palform; **16** Erica Truex, palform, Rich Koele; **19** Bogdan ionescu, Erica Truex; **20** Northallertonman; **23** Erica Truex, GOLFX, Lightspring; **24** Lane V. Erickson; **27** likekightcm; **30** Erica Truex, Javier Brosch, RomanJuve; **31** Erica Truex, Fabio Berti, palform; **34** Dudarev Mikhail, Erica Truex; **40** Erica Truex, S-ts; **41** Erica Truex, Gavrylovaphoto, palform; **42** Erica Truex, Kithanet, palform; **45** Andrey Lobachev, Art'nLera, olllikeballoon; **49** pattara puttiwong; **52** Dima Sobko; **53** IROOM STOCK, palform; **54** palform, studiolovin; **56** PhotoProCorp; **57** Federico Quevedo; **58** Erica Truex, palform, Plumdesign; **59** Erica Truex, Shebeko; **60** Ed Samuel, Erica Truex; **61** Erica Truex, Kzww; **62** Erica Truex, lendy16; **69** AfricaStudio, Erica Truex; **70** Erica Truex, Natu, palform; **74** Stephen Orsillo; **75** Cmnaumann, palform; **76** Dangdumrong, otsphoto; **80** Triff; **81** SeDmi, smilewithjul; **82** David Franklin; **83** Wsantina; **89** Shuter; **91** Kovalchuk Oleksandr, Kyselova Inna; **92** Pete Spiro, Photosync; **93** KK Tan; **96** Petlia Roman; **97** Rose Carson; **99** Fotofermer, Irin-k; **100** freestyle images; **101** Tim UR; **102** Pete Spiro; **105** Pets in frames; **108** Timothy Boomer; **109–110** charles taylor; **112** Coprid, marssanya; **113** M. Unal Ozmen, Maks Narodenko; **114** Mario7, Tim UR; **116** Elnur, Lubava; **119** CrackerClips Stock Media; **120** Studio DMM Photography, Designs & Art; **122** SOMMAI; **125** Lubava, Valentina Razumova; **126** Jiri Hera, showcake, Stockforlife, Vitaly Zorkin; **127–128** Valentina Rozumova; **130** Viacheslav Rubel; **131** Natasha Pankina, SUN-FLOWER; **132** Hannamariah, marssanya; **134** Iriskana, Photo Melon; **136** Le Do, liskus; **137–138** Aopsan, Claudio Divizia; **141** Sashkin; **143** AS Food studio, smilewithjul; **144** AS Food studio; **147** Lukas Gojda, Valentina Proskurina; **148** Yaping; **149** Kyselova Inna, Triff; **150** KMNPhoto; **152** Elena Schweitzer, Iriskana; **153** Lifestyle Graphic; **154** Tropper2000; **159** Dimedrol68; **160** Dimedrol68, liskus, SOMMAI; **163** Danny Smythe; **164** normallens; **165–166** Tadeusz Wejkszo; **169** Andrea Izzotti, Celso Diniz, Chris Bradshaw, Christian Musat, Denton Rumsey, Don Mammoser, f11 photo, FloridaStock, GUDKOV ANDREY, Henryk Sadura, Jason Patrick Ross, Jayne Carney, liquid studios, moosehenderson, Romrodphoto; **171** Rido, smilewithjul; **172** Bajinda, liskus, Maks Narodenko; **174** Elnur, Ksuxa-muxa; **177** Narong Jongsirikul; **179** Alexey D. Vedernikov; **180** Kletr, smilewithjul; **181** ArtMari, Nattika, palform; **182** Claudio Divizia, Palform; **183** Africa Studio, palform; **184** Drozhzhina Elena; **186** mayer kleinostheim, palform; **187** palform, Natalia D; **190** Boris Sosnovyy, palform; **192** Africa Studio, palform; **193** palform, Redchocolate, Lenorko; **194** Lenorko, palform, Redchocolate, TerraceStudio; **197** Karkas, Coprid, Olga Popova, palform;

199 stockcreations; **200** Gbuglok, palform; **202** Olga Lyubkin, palform; **207** Erofeeva Natalya, palform; **208** palform, Phase4Studios, Picsfive; **209** ArtnLera, palform, paulaphoto; **211** ajt, Palform; **212** ArtnLera, FabrikaSimf, Palform; **214** Balabolka, EtiAmmos, monticello, palform; **215** ArtnLera, Cergios, palform; **216** Caimacanul, Design56, Redchocolate; **218** Balabolka, Michelle D. Milliman; **221** Balabolka, Odua Images; **222** palform, Vstock24; **223** Ocram, palform; **224** palform, Vangert; **225** Ivaschenko Roman, palform; **226** Juthamat8899; **227** Andrey_Kuzmin; **228** mr. chanwit wangsuk, palform; **230** COLOA Studio, LHF Graphics; **231** Cheers Group, HelgaLin, palform; **233** Anneka, Kschrei, palform, Vesna cvorovic; **234** Denis Pepin, palform; **235** Ivory27; **236** palform, Pao Laroid; **237** nld, Runrun2; **238** HamsterMan, Robyn Mackenzie; **239** Craig Wactor, palform; **240** AlexPic, mohamad firdaus bin ramli; **242** AlexPic, Quang Ho; **243** Natalia7, palform; **245** Bryan Solomon, motorolka, palform; **246** r.classen, palform, Valentina Proskurina; **247** Maria Jeffs; **250** En min Shen; **251** oksana2010; **252** Somboon Bunproy; **254** artnLera, Hong Vo, sevenke, Tiwat K; **255** Shippee; **256** HodagMedia; **259** Kletr; **262** Africa Studio; **264** smilewithjul, Steve Cukrov; **268** Dontree; **272** Jiradet Ponari; **283** palform, Shuter; **286** Vdimage; **289** Alekseykolotvin; **290** Suzanne Tucker; **291** Victor Moussa; **299** JARIRIYAWAT; **303** Kovalenko Dmitriy, Route55; **306** Roman Dick; **314** Gl0ck, Tiwat K; **315** Tom Pavlasek; **318** Undrey; **320** Plufflyman; **322** Irina Fischer; **325** Bragin Alexey; **326** Ksenia Palimski; **329** areeya_ann; **333** Coprid; **334** balabolka, MaxCab; **335** Drozhzhina Elena, palform; **337** Vadim Sadovski; **338** palform; **340** palform, RomanStrela; **341** Fotokostic, Oleg Romanko, VVO; **346** cherezoff, palform; **347–348** akiyoko, palform; **356** artnLera, Dmitry Zimin, En min Shen; **357** artnLera, Olivier Le Queinec; **358** EHStockphoto; **359** Maks Narodenko; Matt Benoit; **360** Pavlo_K; **361** Svetlana Serebryakova, Olga Nikonova; **362** LAURA_VN, Quang Ho; **363** bluehand, Olga Nikonova; **364** Miroslav Halama; **366** LittleMiss, MarGi; **367** lana rinck; **369** Roma Borman; **370** Roma Borman; **372** aquariagirl1970, Tim UR; **373** Africa Studio, Simon Bratt; **374** balabolka, Max Lashcheuski; **375** Madlen; **378** Aopsan, Claudio Divizia, Natasha Pankina; **379** kruraphoto; **380** Ultimax; **383** vikky; **384** palform, YUTTASAK SAMPACHANO; **385** anna. q, Iriskana, Quanthem; **386** Iriskana, ES sarawuth, topform; **387** Surrphoto; **390** BW Folsom; **391** balabolka, Leigh Prather; **392** Lotus_studio; **394** Mauro Rodrigues; **395** Alchena; **396** Andrey Eremin, Iriskana; **397–398** abdrahimmahfar; **400** marre; **402** jannoon028; **403** Aluna1, Pandapaw; **404** Aluna1, Tropper2000; **407** Simic Vojislav; **408** Iriskana, Peshkova; **411** photosync, redchocolate; **412** NinaM; **414** Erica Truex, irin-k; **415** Cherdchai charasri, Erica Truex; **418** CrackerClips Stock Media; **419** Aliaksei Tarasau, Flower Studio, LilKar; **420–421** Aliaksei Tarasau; **422** Aliaksei Tarasau, Smit; **423** Erica Truex, Valdis Skudre; **424** Joshua Lewis, Tiwat K; **425** STILLFX; **426** Chones; **428** Erica Truex, Sergiy Kuzmin; **430** Katstudio, Tiwat K; **431** attapoljochosobig, Iriskana; **432** JUN3, Iriskana; **434** Protasov AN;